50 segreti
per essere creativi

A ZELDA, SCARLET E LOUIS

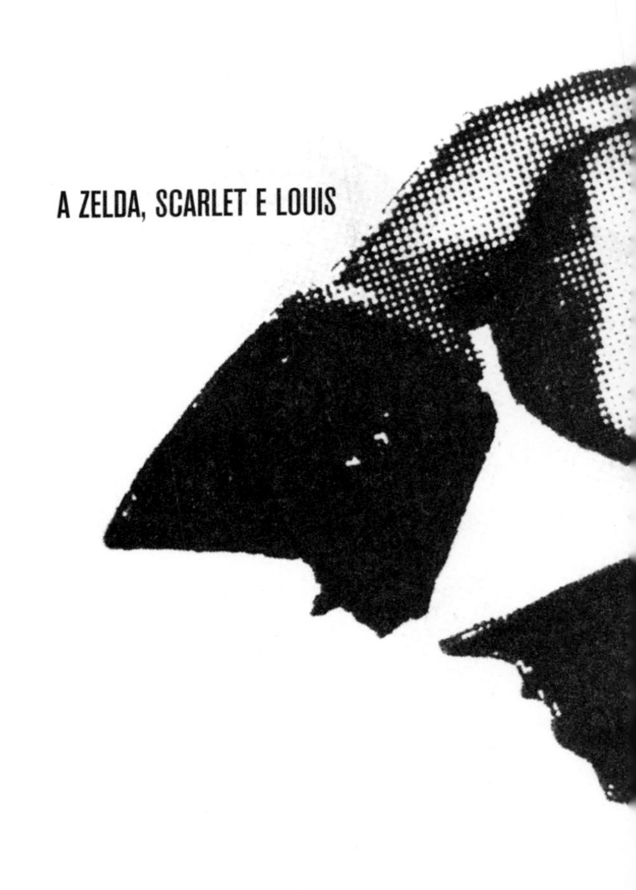

Rod Judkins

50 segreti per essere creativi

Come trasformare le idee in successo

DeAGOSTINI

I grandi artisti, designer, musicisti e scrittori sono persone

...

normali

cresciute
in famiglie
normali,
in case
normali,
in città
normali

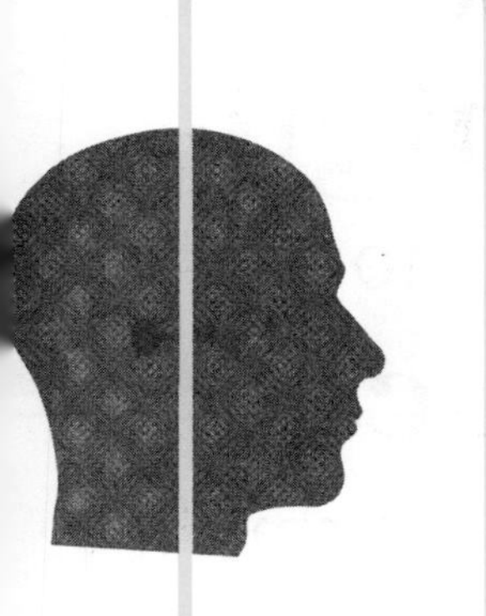

eppure
diventano
persone

straor

dinarie

Grazie a questo libro
scoprirai com'è possibile
tale trasformazione.

1. TU SEI QUEL CHE PENSI DI ESSERE

I creativi non sono persone particolarmente creative.

Il mio lavoro in questo campo mi ha fatto conoscere parecchi scrittori, musicisti e artisti, e ho notato che il loro potenziale creativo non è superiore a quello degli altri.

I creativi hanno però il dono di sentirsi tali e, siccome lo pensano, lo sono.

A molti di loro mancano le abilità artistiche tradizionali (Bacon non sapeva disegnare, così come Andy Warhol non era in grado di dipingere, per cui evitavano di farlo), ma ciò non impedisce di vedersi come persone creative.

Il potere della mente è indiscutibile: basta pensare all'effetto placebo o agli allergici che starnutiscono annusando fiori di plastica.

Ci sono pazienti che, sotto ipnosi, sopportano operazioni chirurgiche senza anestesia. Se la mente è in grado di alterare la percezione fisica, riuscirà anche a modificare il modo in cui percepiamo noi stessi.

I creativi vivono da creativi perché è esattamente così che si sentono.

A tre o quattro anni, Picasso non era né più né meno creativo degli altri bambini. La differenza è semplicemente che lui non ha mai smesso di pensare a se stesso come a una persona creativa, dato che suo padre, anche lui artista, lo spingeva a crederci.

Qualunque cosa pensiate di essere, è ciò che diventerete.

Picasso, Beethoven e Dickens erano fermamente convinti che le loro opere fossero capolavori. Anche prima di arrivare alla perfetta padronanza della materia, in cuor proprio erano sicuri di essere i migliori.

Questa consapevolezza di sé è il motivo principale per cui alla fine lo sono diventati per davvero.

"PIÙ IMPORTANTE ANCORA È L'AVERE UNA IMMENSA FEDE IN NOI STESSI"

Giorgio De Chirico

2.

SE NON
TROVI
LA TUA
STRADA,

creala

Fiducia in se stessi e sicurezza permettono ai creativi di superare i momenti più difficili e li proteggono dalla negatività altrui.

Il rifiuto di ogni compromesso può rendere impopolari, ma l'essenziale è creare, a ogni costo.

Le prime opere di Édouard Manet furono stroncate dalla critica e dal pubblico. L'artista ritraeva persone comuni con pennellate libere, ardite, e semplificava i dettagli: una tecnica innovativa e rivoluzionaria per l'epoca. I suoi lavori suscitavano scandalo, i soggetti erano considerati disdicevoli e né le gallerie private né il Salon di Parigi erano disposti ad accoglierli.

Quando Manet volle esporre i suoi dipinti all'Esposizione Universale di Parigi, nessuno era interessato, eppure non modificò le proprie opere per renderle più accettabili: non fece altro che costruire un padiglione e allestire la sua mostra personale.

Nel momento in cui finalmente il Salon accolse l'*Olympia*, le reazioni del pubblico furono estremamente negative. La critica la fece a brandelli e sui giornali comparvero delle caricature, ma il pittore continuò imperterrito per la propria strada.

La rivincita arrivò più tardi, quando gli Impressionisti lo riconobbero come un maestro e le sue uscite per le sedute *en plein air* divennero quasi un appuntamento mondano.

Manet non si lasciò influenzare dal giudizio dei critici: fu lui a far cambiare idea a loro.

"LA FIDUCIA IN SE STESSI È CONTAGIOSA MA LO È ANCHE LA MANCANZA DI FIDUCIA"

Vince Lombardi

Se sei un attore, scrivi una commedia e scritturati. Se sei uno scrittore, autopubblica il tuo libro. E se suoni in un gruppo rock, registrati e distribuisci il tuo CD.

L'importante è credere in se stessi e in quello che si fa. Se tu non sei il primo a crederci, come puoi pretendere che lo facciano gli altri?

I momenti bui ci saranno sempre e non mancheranno mai le critiche. Ma c'è anche il modo per superare le difficoltà, se si ha fiducia in se stessi. La felicità non è l'assenza di problemi, bensì la determinazione nel risolverli.

3. NON MOLLARE

Qualunque obiettivo importante richiede perseveranza.

È convinzione comune che la creatività sia un talento naturale che chi non possiede può solo invidiare.

Sbagliato. È invece una dote che tutti possono acquisire. Anche per diventare un bravo tennista o uno sciatore provetto servono ore e ore d'allenamento. La creatività non fa eccezione.

Spesso le idee arrivano con un lampo di genio, ma poi vanno comunque analizzate, raffinate e migliorate.

I creativi sono ostinati.

Ray Bradbury si impose di scrivere un racconto alla settimana. Dieci anni e cinquecentoventi racconti più tardi, riuscì a scriverne uno abbastanza valido da meritare la pubblicazione.

L'idea che esistesse una forza che poi avrebbe chiamato gravità folgorò Newton nel momento in cui vide una mela cadere da un albero, ma gli ci vollero anni per elaborare una legge fisica.

Darwin concepì la teoria della selezione naturale in un momento di ispirazione e poi impiegò vent'anni per pubblicare *L'origine delle specie*.

Mentre era disoccupato, durante la Grande Depressione, Alfred Butts inventò il Lexico, un gioco che consisteva nel formare parole usando nove tesserine, su ognuna delle quali c'era una lettera. Le aziende a cui lo propose bocciarono l'idea.

QUEL CHE CONTA NON È LA DIMENSIONE
DEL CANE NELLA LOTTA,
MA LA DIMENSIONE DELLA LOTTA NEL CANE

Mark Twain

Butts però non si diede per vinto e continuò a perfezionare il gioco.

Aggiunse una tavola.
Rifiuti.
Attribuì un punteggio a ogni lettera.
Rifiuti.
Ridusse il numero di tessere da nove a sette.
Bocciato di nuovo.
Assegnò un punteggio anche ai riquadri della tavola.
Altre risposte negative.

A quel punto chiese consiglio a James Brunot: i due unirono le forze e cambiarono il nome del gioco in *Scrabble* (Scarabeo). Nel 1952, dopo vent'anni di tentativi, i grandi magazzini Macy's fecero un grosso ordine. Due anni dopo Butts aveva venduto cinque milioni di scatole.

Per essere creativi, non bisogna mai smettere di perfezionare se stessi e le proprie idee.

... ANCHE SE TI SEMBRA IMPOSSIBILE

4. TUTTO DIPENDE DA TE

Henri Matisse

Le persone davvero creative lavorano ovunque e con qualunque disposizione d'animo. Non aspettano le condizioni ottimali, perché potrebbero non presentarsi mai. Non esiste il luogo o l'umore ideale.

Jean Genet scrisse i suoi romanzi in carcere. Non avendo carta in cella, usava tela da sacco e mandava illegalmente gli scritti all'esterno perché fossero pubblicati.

Intorno ai settantacinque anni, Matisse si ammalò gravemente e dovette sottoporsi a un intervento. Durante la convalescenza, nonostante il dolore, riuscì a creare mirabili opere d'arte.

Aveva bisogno della costante assistenza di un'infermiera, che gli sistemava i cuscini dietro la schiena perché potesse respirare. Era un pittore, ma non riuscendo a dipingere dal letto decise di dedicarsi alla tecnica del collage, servendosi di ampi fogli di carta che tagliava con le forbici e che la sua infermiera reggeva per lui.

Nonostante i dolori che lo tormentavano, Matisse riuscì a progettare ogni singolo particolare della Chapelle du Rosaire di Vence: finestre, crocifisso, candelieri, paramenti sacri, vetrate e pavimento. Un'opera prodigiosa, che fu probabilmente il suo massimo capolavoro.

Non porre condizioni (non riesco a lavorare quando sono stanco, ho bisogno di silenzio/della mia penna preferita, lavoro solo di notte, ho mal di testa, mi serve un sottofondo musicale...). Nulla deve impedirti di creare, ovunque ti trovi e in qualunque modo ti senta.

Un creativo non va mai in vacanza.

5. VIVERE IL SOGNO

A scuola dire che uno studente sogna a occhi aperti non è un complimento: un bambino che sogna e ha sempre la testa fra le nuvole viene considerato un bambino distratto. Concedere alla mente di divagare in fantastiche avventure immaginarie sembra qualcosa di cui vergognarsi.

Eppure, tutto ciò che ci circonda – case, auto, abiti, mobili – nasce dal sogno di qualcuno, da una bellissima avventura vissuta nella mente. Qualcuno l'ha pensato, disegnato e creato. Tutti noi viviamo in un mondo fatto di sogni, sogni che qualcuno ha reso tangibili.

Anche Paul McCartney ha sognato la melodia di *Yesterday*. La compose in sogno, una notte, e al risveglio corse al pianoforte e la suonò per non dimenticarla. Arrivò a domandarsi se non avesse inconsciamente plagiato un brano già esistente, tanto che per mesi chiese agli amici se l'avessero mai sentita prima. Alla fine, convintosi di non averla rubata a nessuno, McCartney scrisse il testo: fu così che nacque *Yesterday*.

TU VEDI COSE CHE ESISTONO E TI CHIEDI «PERCHÉ?», MA IO SOGNO COSE MAI ESISTITE E MI CHIEDO «PERCHÉ NO?»

George Bernard Shaw

La mente ha bisogno di esplorare e vagabondare. Quando è libera di farlo raggiunge luoghi insoliti e crea nuovi mondi, nuove idee, nuove invenzioni.

Dietro ogni cosa, un programma televisivo, un edificio, una canzone, un film o un libro, c'è sempre qualcuno che sogna a occhi aperti.

IL MONDO IN CUI VIVIAMO
È IL MONDO DEI SOGNATORI.
ENTRA ANCHE TU A FARNE PARTE
INVECE DI DENIGRARLO.

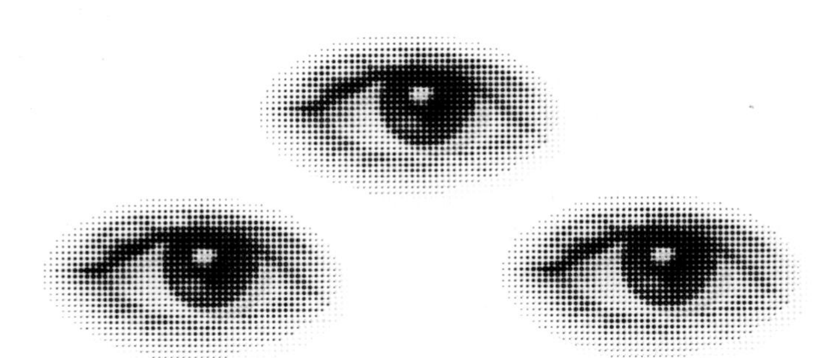

IL SONNO DELLA RAGIONE GENERA MOSTRI

Francisco Goya

6. SMETTI DI CERCARE IL SENSO

Nella vita e nel lavoro ci sentiamo spesso costretti a fare ciò che sembra più ragionevole.

I creativi devono liberarsi da quest'obbligo, godersi la bellezza di fare qualcosa per il piacere di farlo e non perché è logico o razionale. Lo scopo è la soddisfazione che se ne ricava.

Quella dei "Cadaveri eccellenti" è una tecnica inventata dal surrealista André Breton per liberare la mente dalla logica e ricongiungerla alla saggezza interiore dell'inconscio. Diverse persone collaborano alla creazione di un'immagine: la prima disegna qualcosa su un foglio, che viene piegato in modo da nascondere l'immagine e poi passato alla seconda, che prosegue senza vedere cosa ha fatto l'altra. Ogni partecipante disegna senza sapere in quale direzione gli altri potrebbero sviluppare l'immagine. Ognuno traccia quello che gli viene in mente come in un flusso di coscienza, che sia qualcosa di frivolo, di introspettivo o di stravagante. Solo alla fine si scopre l'intera, bizzarra composizione.

I Surrealisti cercavano l'assurdo e l'insensato proprio per ripulire la mente da ogni logica. In questo modo, idee e pensieri possono scorrere liberi.

SEGUIRE A OGNI COSTO IL BUON SENSO È OPPRIMENTE E SOFFOCANTE.

7. PENSARE PER IMMAGINI

Viviamo in una società a misura d'emisfero sinistro, nella quale siamo spinti a pensare in parole e numeri.

Numerosi studi hanno dimostrato che più si è creativi, più si pensa in termini visivi. I creativi sviluppano i modi più svariati per eludere e aggirare il pensiero verbale e visualizzare le idee, costruendo mappe e immagini mentali. Cercano cioè di "vedere" l'idea.

Il fisico Niels Bohr immaginava l'atomo come un sistema solare in miniatura, in cui gli elettroni orbitano intorno a un nucleo centrale.

Friedrich August Kekulé von Stradonitz intuì che le molecole di benzene hanno una struttura ad anello dopo aver sognato un serpente che si mangiava la coda.

Einstein dichiarò che i numeri e il linguaggio non avevano alcun ruolo nei suoi processi mentali, in quanto creava piuttosto «immagini più o meno chiare che possono essere riprodotte e combinate volontariamente».

L'IMMAGINAZIONE È PIÙ IMPORTANTE DELLA CONOSCENZA. LA CONOSCENZA È LIMITATA, MENTRE L'IMMAGINAZIONE ABBRACCIA IL MONDO INTERO

Albert Einstein

Einstein elaborò la sua teoria della relatività ristretta dopo aver fantasticato di viaggiare alla velocità della luce con in mano uno specchio, cercando di immaginare che cosa vi avrebbe visto. La luce riflessa dal suo volto avrebbe raggiunto lo specchio?

Numeri e linguaggio sono processi lineari. Una parola segue l'altra, una frase segue l'altra e così via. In questo modo non si può fare altro che pensare secondo un modello logico e lineare.

Il pensiero visivo (legato all'emisfero destro) è invece molto più fluido e alimenta pertanto l'ispirazione.

Ogni volta che vuoi concentrarti su un'idea, cerca di visualizzarne un'immagine nella tua mente.

Oppure, meglio ancora, disegnala.

8. NON FARTI STRITOLARE DALLA ROUTINE

Un creativo affermato si dedica a ciò di cui più gli importa nella vita. Non accetta un compromesso che gli permetta di pagare le bollette, svilendo la sua passione a un semplice hobby.

Quando Cesare sbarcò con le truppe in Britannia, la prima cosa che fece fu bruciare le navi, così non avrebbero potuto battere in ritirata. Da quel momento non ci furono più vie di fuga e tutto divenne o bianco o nero. Il trionfo o la morte.

Non abbandonarti alla mediocrità e all'agio. Sprecare tempo ed energie in cose di poco interesse finirà per sembrarti naturale.

A causa delle pressioni della famiglia e del padre banchiere, Paul Cézanne fu costretto a studiare legge all'università. I suoi erano convinti che questo gli avrebbe assicurato un futuro solido, ma lui si sentiva oppresso, diviso tra ciò che la famiglia desiderava per lui e la sua vera passione, l'arte. Sopportò due anni, dopo

“SULL’ORLO DEL BARATRO LUNGO IL QUALE PROCEDE IL GRANDE ARTISTA, OGNI PASSO È UN’AVVENTURA, UN RISCHIO ESTREMO. EPPURE È IN TALE RISCHIO E IN NIENT’ALTRO CHE RISIEDE LA LIBERTÀ DELL’ARTE”

Albert Camus

di che si ribellò e se ne andò a Parigi per diventare un artista. I familiari, sconvolti da tanta sconsideratezza, lo disconobbero.

L’opera di Cézanne ha cambiato il corso della storia dell’arte, anche se il suo valore è stato riconosciuto pienamente solo dopo la morte dell’artista.

Se non ci provi, ti chiederai per sempre come sarebbe andata.

A qualunque cosa tu stia aspirando, falla. Provaci: se fallirai, almeno saprai di aver tentato.

Fai di testa tua e il potere sarà nelle tue mani. Se lavori per qualcun altro, sarai in balia dei suoi capricci.

La creatività non ha nulla a che fare con il trantran di un impiego fisso in cui si tirano i remi in barca e si va avanti per inerzia.

È spaventoso passare la vita a fare qualcosa di cui non ci importa nulla. Guardarsi indietro e pensare “avrei potuto” o “avrei dovuto” è la cosa più triste di tutte.

GUARDARSI INDIETRO

AVREI

O AVREI

È LA COSA

E PENSARE

POTUTO

DOVUTO

PIÙ TRISTE DI TUTTE

9. CREA SIGNIFICATI, NON PRODOTTI

L'IDEA È PIÙ IMPORTANTE DELL'OGGETTO

Damien Hirst

Che cosa vuole dire il tuo lavoro? Le persone creative guardano innanzitutto al significato. Quello a cui si dedicano deve avere un senso per loro e, di conseguenza, per gli altri. Si preoccupano di produrre qualcosa di valido, che abbia un reale valore umano. Poco importa della tecnica o delle imprecisioni.

Il video più visto di tutti i tempi è il filmato dell'assassinio di John F. Kennedy, girato da Abraham Zapruder. Dura solo venti secondi ed è un autentico ammasso di errori. La ripresa è mossa, l'inquadratura pessima: al momento cruciale, quando il proiettile colpisce il presidente, l'immagine quasi scompare dalla parte bassa dell'inquadratura e inoltre va continuamente fuori fuoco.

Eppure, nonostante la sequela di cantonate tecniche, il contenuto è forte, coinvolgente ed emozionante.

È un filmato brutale e duro in cui gli errori aumentano l'atmosfera, la crudeltà e il senso di immediatezza. Paradossalmente, furono proprio le sue imperfezioni tecniche a spingere registi come Oliver Stone a servirsi di questo stile documentaristico, crudo ma efficace.

PREOCCUPATI DEI CONTENUTI, NON DEGLI ASPETTI TECNICI.

10. INVENTA TE STESSO

Le persone creative creano se stesse. Il filosofo Michel Foucault sosteneva che l'uomo moderno avesse la possibilità di concepire la propria vita come un'opera d'arte. Insomma, la sfida non è trovare il proprio io interiore, ma inventare se stessi.

L'artista tedesco Joseph Beuys vedeva così la propria vita, come se fosse un disegno o una scultura da elaborare con l'immaginazione. Si chiese chi avrebbe voluto essere, dopo di che fece il possibile per trasformarsi in quella persona.

Durante la seconda guerra mondiale fu mitragliere di coda su un bombardiere Stuka. Il suo aereo fu abbattuto al fronte in Crimea, dove precipitò. Qui, secondo il suo racconto, fu salvato da una tribù di tartari nomadi, che spalmarono miele e grasso animale sul suo corpo ferito e lo avvolsero nel feltro, per curarlo e tenerlo al caldo. Si presero cura di lui fino alla guarigione. Beuys si servì di questa storia per inventarsi un'identità artistica e giustificare il ricorso a materiali non convenzionali: grasso, miele e feltro, appunto.

In realtà, Beuys non fu salvato dai tartari. Fu recuperato subito da un'unità di ricerca tedesca e ricoverato d'urgenza in un ospedale militare. Aveva ideato quella storia per creare il suo mito personale. Non era soddisfatto di ciò che era, perciò fece di tutto per inventare una versione migliore di se stesso. Per lui la creatività era uno stato mentale, la applicava a qualsiasi cosa facesse, anche la più banale.

Ogni decisione, azione o pensiero ci porta a creare: la nostra vita è una nostra creazione.

Pensa a ciò che fai come a un atto di creatività. Sii la tua opera d'arte. Non cercare te stesso: inventa te stesso.

VEDO LA VITA COME UNA SPLENDIDA COMMEDIA CHE HO SCRITTO PER ME STESSA, PERCIÒ IL MIO OBIETTIVO È DI DIVERTIRMI IL PIÙ POSSIBILE A RECITARE LA MIA PARTE

Shirley MacLaine

11.
IL FALLIMENTO È UNA PIETRA SU CUI COSTRUIRE IL SUCCESSO

Il fallimento non è un dato di fatto, è una sensazione.

Ognuno deve decidere autonomamente cosa considerare un fallimento e cosa un successo. Ci si può sempre fidare della propria opinione, molto più che di quelle degli altri.

Diverse invenzioni considerate fallimentari all'inizio, in seguito sono diventate dei successi. Il fallimento è una parte naturale del processo creativo, non bisogna vederlo come un segno di sconfitta, ma come una pietra sulla quale cominciare a costruire il successo.

Il segreto è il modo in cui si reagisce. Può capitare che un dipinto venga criticato, un manoscritto rifiutato o una canzone stroncata senza pietà, ma un creativo non perderà la tenacia. Anzi, accetterà il fallimento come parte del percorso e imparerà dagli errori.

Leonardo da Vinci è considerato la quintessenza del genio rinascimentale, eppure le opere pittoriche a lui attribuite con certezza sono in numero limitato, molte delle quali incompiute. I suoi scritti contengono una miniera di informazioni, che però non riuscì mai a riorganizzare in modo sistematico. Non ha lasciato particolari spunti per lo sviluppo di una teoria matematica, non ha tramandato composizioni musicali e nessuno dei suoi progetti architettonici è mai stato realizzato. Non sono sopravvissute nemmeno opere che ne attestino le qualità di scultore, in quanto il monumento dedicato a Francesco Sforza non venne mai realizzato.

Insomma, a te il giudizio: successo o fallimento?

**L'UNICA OPERA D'ARTE DI SUCCESSO
È QUELLA CHE SEMBRA UN FALLIMENTO**

Jean Cocteau

È possibile avvertire un senso di paralisi quando ci sono troppe scelte da fare, troppe possibili direzioni da prendere.

Comincia da dove ti trovi e da quello che hai per le mani al momento, per quanto banale o poco stimolante possa sembrare.

Di solito tendiamo a non vedere le cose semplici e familiari, cose così ordinarie che non le notiamo nemmeno.

Qualunque cosa ti circondi, quello è il tuo mondo, ed è ciò su cui dovresti concentrarti. Cerca lo straordinario nell'ordinario.

12. COMINCIA DA... QUI

David Hockney dipingeva scatolette di tè Typhoo perché beveva quel tè ogni giorno ed erano sparse un po' ovunque, Andy Warhol si ispirava alle lattine di zuppa Campbell's perché la mangiava a pranzo e Henry Moore disegnava le pecore che pascolavano nel campo vicino al suo studio.

QUELLO CHE CONTA È INIZIARE, IN UN MODO O NELL'ALTRO

Henry Moore

Michelangelo sarebbe rimasto sbalordito e ammaliato da un cucchiaio di plastica, Caravaggio da una lampadina, Vermeer da un'anatra di gomma.

Guarda ciò che ti è familiare come se non l'avessi mai visto e parti da lì.

Non si può tornare indietro per ricominciare da capo, ma si può andare avanti e stabilire un nuovo finale.

13. INSEGUI IL CASO

Chi ha una mente creativa cerca il caso e il rischio, mentre chiunque altro preferisce ordine e tranquillità.

La prevedibilità è nemica della creatività.

Il caso fa da catalizzatore e da veicolo per il progresso in modi inimmaginabili e conduce chi lo segue su strade sconosciute e stimolanti.

Bisogna aprirsi a ciò che è incerto, insicuro e instabile.

Quando componeva, Wolfgang Amadeus Mozart si affidava talvolta alla casualità. Creò un sistema che consisteva nello scegliere battute a caso da vari spartiti tramite il lancio di un dado.

Mozart era un musicista estremamente prolifico e convinto di essere il più grande compositore di tutti i tempi. Allora perché volle introdurre il caso nel suo metodo? Evidentemente sentiva che rischiava di sviluppare delle abitudini e diventare ripetitivo. Così invece era costretto a lavorare in maniera del tutto nuova.

> **È PROPRIO QUANDO SCOPRI COME FARE CERTE COSE CHE DEVI SMETTERE DI FARLE, PERCHÉ A QUEL PUNTO VERRÀ A MANCARE LA COMPONENTE DI RISCHIO**
>
> Robert Rauschenberg

Negli anni Sessanta il compositore John Cage si spinse ancora più in là, creando un randomizzatore per computer che selezionava in modo imprevedibile note e battute musicali.

Introduci il caso nella tua vita e nel tuo metodo di lavoro.

Assumendoti dei rischi, ogni tanto ti capiterà di smarrire la strada. Ma se non rischierai mai, di sicuro perderai te stesso.

14. DOMINA LA TECNOLOGIA

O LA TECNOLOGIA DOMINERÀ TE

NON SI POSSONO PIÙ PRENDERE DECISIONI SENZA CONSIDERARE, OLTRE AL MONDO COM'È ORA, ANCHE IL MONDO COME SARÀ

Isaac Asimov

È indispensabile tenersi al passo con la tecnologia, che modifica ogni aspetto della nostra vita e del nostro modo di pensare. Un creativo deve essere sempre aggiornato sui nuovi sviluppi.

La tecnologia ci definisce e ci rende diversi dagli animali. Una vanga fatta di corno, la macchina per la stampa, il computer: invenzioni che hanno plasmato il nostro mondo e, quindi, i nostri pensieri. Noi creiamo la tecnologia, ma allo stesso tempo la tecnologia crea noi.

Se non riesci a star dietro alle novità tecnologiche, continuerai a ottenere le risposte di ieri per le domande di oggi.

Il futurista Umberto Boccioni desiderava strappare l'Italia al suo passato rinascimentale per scagliarla nella dinamica realtà della cultura moderna. Lui non osteggiava le invenzioni innovative, le celebrava.

L'entusiasmo per il nuovo e la pulsione verso il progresso si ritrovano nelle sue opere. Boccioni venerava l'incedere rapido della vita moderna, il metallo lucido e scintillante delle sue sculture ricorda i macchinari dell'epoca: tutta la sua opera è un'aspra celebrazione della tecnologia.

Abbraccia le nuove tecnologie, sempre foriere di idee innovative.

IL FUTURO È ADESSO, MA PROBABILMENTE NON TE NE SEI ACCORTO.

Non lasciare che la tecnologia ti controlli, scegli ciò che è utile per te senza lasciarti sopraffare, ma imparando a conviverci al meglio.

15. CIÒ CHE CONTA È LA PASSIONE

Se metti passione in ciò che fai, chi ti sta intorno si sentirà attratto da te e dal tuo lavoro. La tua passione contagerà gli altri, al punto che cominceranno a pagarti per ciò che fai.

Paradossalmente, otterrai molto più di coloro che hanno solo obiettivi e ambizioni materiali.

Se lo scopo sono i soldi, la tua sarà un'ambizione vuota.

Il successo consiste nel realizzare qualcosa nel miglior modo possibile, non si misura in termini di case o di auto costose. Non si deve lavorare soltanto per ottenere benessere economico o notorietà.

LA TECNICA DA SOLA NON BASTA MAI. CI VUOLE PASSIONE. LA TECNICA DA SOLA NON È CHE UNA PRESINA RICAMATA

Raymond Chandler

Un creativo non cambierà stile di vita all'improvviso, non appena avrà raggiunto il successo: continuerà ad andare nel suo studio e a lavorare come prima.

Quando artisti come Lucian Freud, Chaïm Soutine e Georges Rouault hanno ottenuto la fama, non si sono comprati una Ferrari, né se ne sono andati in vacanza in Florida. Hanno continuato a dipingere, come se nulla fosse cambiato. In fondo, era ciò che avevano sempre desiderato fare.

Fai ciò in cui credi e gli altri crederanno in te. La gente appoggia chi ha passione e vorrà aiutarti, anche dandoti del denaro.

Sii una calamita per i soldi, non lasciare che i soldi diventino una calamita per te.

16. L'UNIONE FA LA FORZA

Molti creativi si uniscono a qualcuno che sia in grado di completare il loro talento. I disorganizzati faranno squadra con chi ha metodo, gli introversi cercheranno persone più estroverse e gli emotivi, infine, preferiranno un "alleato" più razionale.

Gilbert e George, Jagger e Richards, Gilbert e Sullivan, Jake e Dinos Chapman: tutti hanno raggiunto il successo proprio perché perfezionavano e amplificavano vicendevolmente i loro talenti.

I Beatles erano più bravi come band di quanto lo fossero individualmente. John Lennon e Paul McCartney testavano le proprie doti l'uno sull'altro, finendo col migliorare entrambi; qualunque abilità mancasse a uno, veniva compensata dall'altro. Tutte le canzoni dei Beatles erano essenzialmente una piacevole discussione tra loro due.

NELLA LUNGA STORIA DELL'UOMO COLORO CHE HANNO IMPARATO A COLLABORARE E A IMPROVVISARE PIÙ EFFICACEMENTE HANNO AVUTO LA MEGLIO

Charles Darwin

Quando smisero di collaborare, divenne chiaro che il lavoro di Lennon era troppo duro e pedante senza il tocco leggero di McCartney, così come le composizioni di McCartney risultavano troppo melense e sentimentali senza il piglio aspro e crudo di Lennon. Si completavano. Lavorare insieme aveva fatto alzare a tutti e due il proprio standard, portandoli a sfidarsi a vicenda. Erano musicisti dagli approcci molto diversi, talvolta antitetici: eterni rivali che cercavano sempre di superarsi l'un l'altro. Non fu un rapporto facile, ma funzionò.

Avere qualcuno con cui confrontarsi favorisce l'ispirazione.

... ALL'INIZIO

Impara a giocare con l'ambiente che ti circonda.

Chi possiede una mente creativa lo fa di continuo, distruggendo ogni cosa e rimontandola in modi del tutto nuovi.

A qualunque opera serve una struttura, ma la struttura non dovrebbe essere sistematica.

Gli architetti contemporanei amano mescolare le carte in tavola. Un edificio equilibrato sarà solido e sicuro, ma noioso.

Una costruzione instabile che sembra stia per crollare, come la torre di Pisa, è sconcertante ma, proprio per questo, unica e memorabile. I moderni architetti che hanno progettato edifici di questo tipo o sono crollati insieme alle loro opere oppure hanno fatto strada.

HOLLYWOOD È L'UNICA INDUSTRIA, CONSERVIFICI COMPRESI, IN CUI NON ESISTONO LABORATORI PER LA SPERIMENTAZIONE

Orson Welles

Jean-Luc Godard è uno dei più grandi registi cinematografici di sempre, i cui film rivoluzionari hanno sfidato le aspettative del pubblico. Gli piaceva moltissimo sovvertire l'ordine convenzionale, per lui un film doveva avere un inizio, uno svolgimento e una fine, ma non per forza in quest'ordine.

Godard divideva i suoi film in tanti segmenti, con parti narrate, sequenze di dialoghi, lunghi silenzi, personaggi che per la prima volta guardavano in camera e si rivolgevano direttamente al pubblico, tagli in asse, inquadrature mosse e rumori fuori campo. Tutto ciò teneva gli spettatori nella costante attesa di quel che sarebbe accaduto nella scena successiva.

Prendi in esame la struttura del tuo lavoro, demoliscila e riorganizzala. Messa così a soqquadro, probabilmente sarà più interessante.

17. COLLOCA LA FINE...

18. METTI TUTTO IN DISCUSSIONE

Molti problemi nascono dalle congetture. Chi procede per supposizioni crede di sapere, mentre in realtà non sa nulla.

Le domande mettono in questione le congetture, perciò è bene interrogarsi continuamente. Si impara molto più cercando una risposta che trovandola.

Le domande sono più importanti delle risposte, perché ci aiutano a penetrare meglio il tema che ci coinvolge.

Chi visita una galleria d'arte dedica a ogni quadro circa otto secondi. Il Rijksmuseum di Amsterdam ha speso parecchi soldi per restaurare il celebre dipinto di Rembrandt, la *Ronda di Notte*. Per aumentare il tempo di osservazione del quadro, i curatori hanno invitato i visitatori a porre delle domande sul dipinto e a inviarle.

Sono quindi stati scelti i cinquanta quesiti più ricorrenti, molti dei quali vertevano su argomenti che i curatori non amano affrontare: «Potete dimostrare che l'abbia davvero dipinto Rembrandt? Quanto vale? Esistono delle copie false ben fatte? Ci sono errori nel dipinto? Perché è un'opera valida?».

Tali domande e le relative risposte sono state affisse accanto al quadro. Il tempo medio di osservazione è salito quasi a mezz'ora. I visitatori alternavano la lettura delle domande e delle risposte all'osservazione del dipinto e lo guardavano più da vicino e più a lungo.

I quesiti hanno stimolato la curiosità dei visitatori, rendendoli più consapevoli della ricchezza e della complessità dell'opera d'arte. Ecco perché bisogna sempre mettere in discussione i preconcetti e le supposizioni.

QUALCHE DOMANDA?

GIUDICA UN UOMO DALLE SUE DOMANDE PIÙ CHE DALLE SUE RISPOSTE

Voltaire

A MILIONI AVEVANO
VISTO CADERE
UNA MELA.
**NEWTON FU IL PRIMO
A CHIEDERSI
PERCHÉ**

19. NON COMPETERE

CREA

L'UNICA COMPETIZIONE CHE UN UOMO SAGGIO DOVREBBE CONSIDERARE È QUELLA CON SE STESSO

Washington Allston

Evita di partecipare a gare e concorsi, poiché prevedono un solo vincitore. Questo vuol dire che, se si iscriveranno 5000 persone, ci saranno 4999 perdenti. Vuoi che qualcuno che non ti conosce ti classifichi come un perdente?

Joseph Beuys, artista di fama mondiale, era professore di scultura alla prestigiosa Kunstakademie Düsseldorf, che prevedeva una selezione rigorosa, a causa della quale molti candidati venivano respinti.

Beuys decise di abolire le selezioni e di ammettere chiunque facesse domanda. Lui non si sentiva in grado di giudicare o di selezionare i candidati perché era convinto che la creatività fosse una dote di tutti, non di pochi eletti.

L'ammissione di centinaia di studenti generò il caos: l'accademia non riusciva a gestire una simile quantità di iscritti e Beuys fu destituito dal suo incarico, per volere di persone molto meno creative di lui.

Lavora al meglio delle tue capacità e giudica tu quello che fai.

20. ESCI DAL *seminato*

Non cercare la moda nei negozi d'abbigliamento, né la storia nei musei. Piuttosto, vai in cerca della moda al negozio di alimentari e della storia al luna park.

Ogni ambito offre una propria visione del mondo. È sorprendente uscire dai confini del proprio campo d'azione.

Tieniti informato su tutto: attualità, musica, moda, fisica, orticoltura, televisione, medicina, allevamento dei maiali, qualsiasi cosa.

Fai in modo di sapere che cosa c'è di nuovo, che cosa sta cambiando e che cosa si profila all'orizzonte.

Il segreto del successo di Picasso è stato il suo insaziabile interesse per il mondo che lo circondava: scienza, musica, letteratura... ogni cosa.

Affronta ogni argomento come una potenziale fonte di ispirazione.

Il Cubismo, fondato da Picasso e Braque, ha cambiato per sempre il mondo dell'arte, ispirandosi alla scienza.

Picasso assistette a una conferenza di matematica durante la quale, per illustrare gli ultimi sviluppi sull'osservazione dei poliedri complessi in quattro dimensioni, il docente ne proiettava immagini multiple, mostrandone contemporaneamente diverse prospettive.

E allora si chiese: perché non dipingere prospettive multiple in una sola immagine? Fu così che il Cubismo, uno dei movimenti artistici più significativi di tutti i tempi, vide la luce.

**L'IGNOTO ERA LA MIA BUSSOLA.
L'IGNOTO ERA LA MIA ENCICLOPEDIA.
CIÒ CHE NON AVEVA NOME ERA LA MIA SCIENZA
E IL MIO PROGRESSO**

Anaïs Nin

21. IL BELLO DI ESSERE DIVERSI

Tutti vogliamo sentirci accettati. Desideriamo conformarci, fare ciò che fanno gli altri. Tuttavia, non dovremmo preoccuparci di venire considerati bizzarri o diversi: essere unici è un vantaggio.

I pensatori più originali non adottano automaticamente le pratiche già consolidate nei diversi ambiti. Piuttosto, sviluppano metodi di lavoro personali, il che li porta a pensare in modo diverso.

Il fisico Michael Faraday non operava affatto entro i limiti della scienza e della matematica del XIX secolo. Il suo livello d'istruzione andava poco oltre la scuola primaria, eppure scoprì il processo dell'induzione elettrica e fu uno dei padri fondatori della fisica moderna, oltre che uno degli scienziati più influenti della storia.

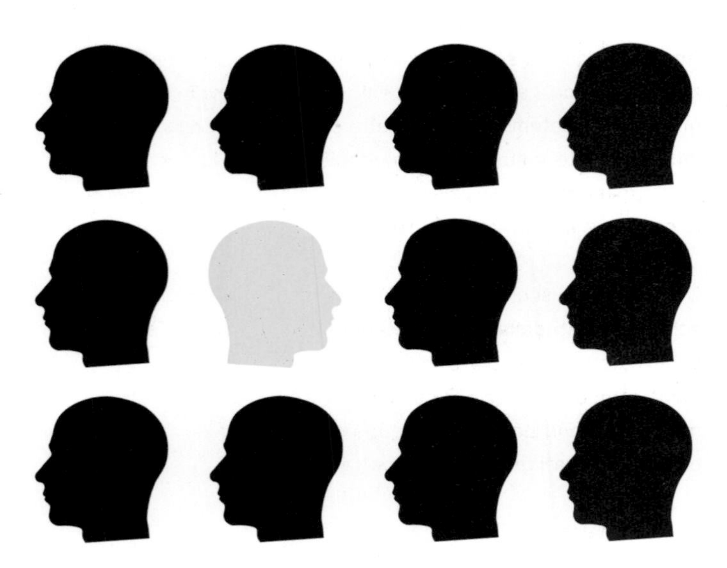

IN PITTURA, COME IN OGNI ARTE, NON ESISTE UN SOLO PROCEDIMENTO, PER QUANTO INSIGNIFICANTE, CHE SI POSSA RAPPRESENTARE CON UNA FORMULA

Pierre-Auguste Renoir

Anziché andare a scuola, Faraday finiva quasi sempre a scorrazzare per strada. I suoi stupefacenti risultati si devono proprio all'ignoranza in matematica: per studiare i fenomeni elettromagnetici, infatti, dovette sviluppare un personale approccio non matematico. La mancanza di istruzione rappresentava un vantaggio, poiché lo costrinse a lavorare in maniera originale, senza preconcetti.

L'istruzione fa sì che gli individui pensino e agiscano secondo gli schemi dettati dalla società. Faraday invece giunse a una consapevolezza più ampia e mise in discussione i metodi canonici, mentre molti altri scienziati accettavano le regole esistenti in maniera incondizionata. Lui seppe sviluppare metodi differenti e ottenne risultati differenti. E spettacolari.

Essere diversi è bello.

22. DIMENTICA LA RAGIONEVOLEZZA

A un vero creativo non si richiede di essere ragionevole.

La logica e la ragione non potrebbero mai spiegare *Les Demoiselles d'Avignon*, *Sgt. Pepper*, *Apocalypse Now* e *Il giovane Holden*. Picasso, i Beatles, Francis Ford Coppola e J.D. Salinger erano animati dal desiderio di produrre qualcosa di sconvolgente, straordinario e unico, non certo qualcosa di pratico e sensato.

L'architetto Antoni Gaudí ha progettato uno dei più grandi capolavori dell'architettura occidentale, la Sagrada Família di Barcellona, assolutamente unica per l'aspetto e per le dimensioni.

La visione di Gaudí diede vita a un'opera originale, straordinariamente elaborata, tanto impegnativa che lui rifiutò qualsiasi altra commissione per dedicarvisi. Era così complessa e intricata che secondo l'architetto ci sarebbero voluti altri duecento anni per finirla. Questo non lo scoraggiò: preparò progetti e modelli dettagliati, in modo che la costruzione potesse andare avanti dopo la sua morte.

Gaudí si concentrò su ciò che voleva realizzare, si mise all'opera e lo fece. Magari per gli altri le sue idee non avevano senso, ma per lui sì. Una persona ragionevole non avrebbe mai potuto concepire la Sagrada Família.

Essere irragionevoli va benissimo. Per risolvere un problema inconsueto, spingere gli altri a pensare in modo nuovo o portare a termine un'impresa impossibile ci vuole qualcuno che sia animato dall'emozione, dalla passione e dal desiderio, non dalla logica.

SE LA GENTE NON FACESSE
A VOLTE COSE STUPIDE,
NON SI SAREBBE MAI FATTO
NULLA DI INTELLIGENTE

Ludwig Wittgenstein

23. DAI TEMPO AL TEMPO

Non forzare le cose, vivi alla velocità a te più congeniale. Per essere davvero creativi bisogna lavorare seguendo i propri ritmi.

Se di norma lavori rapidamente, sii rapido. Se invece ti piace procedere con calma, prenditi il tempo che ti serve.

Muoviti alla velocità che ritieni più adatta. Sbarazzati dell'orologio: ogni progetto ha le sue tempistiche, potresti doverci lavorare giorno e notte per settimane oppure soltanto per pochi minuti. Ignora le pressioni esterne e vai avanti nel modo a te più consono.

Leonardo da Vinci impiegò venticinque anni per completare la *Vergine delle Rocce*. Picasso dipinse alcuni dei suoi quadri in pochi minuti. Vermeer produsse appena trentacinque dipinti in tutta la vita.

Andy Warhol aveva assistenti che creavano per lui svariate opere ogni giorno. Edward Hopper, al contrario, dipingeva appena due quadri all'anno. Tutti artisti di successo che lavoravano in base alle tempistiche a loro più congeniali.

Non ti imporre delle tabelle di marcia, asseconda le esigenze del tuo lavoro.

IL SACRO GRAAL È DIPINGERE UN QUADRO IN MENO TEMPO DI QUANTO GLIENE DEDICHERÀ CHI LO GUARDERÀ

Banksy

24. SEGUI L'ONDA SEGUI L'ONDA SEGUI L'ONDA SE

Mai attenersi scrupolosamente ai piani. Per vivere in modo creativo bisogna cavalcare l'onda e captare quel che succede.

Drizza le orecchie, mettiti in ascolto e capirai come andare avanti.

Il Ministero delle Belle Arti francese commissionò a Rodin un lavoro importantissimo, la creazione di un gigantesco portale che l'artista stesso avrebbe ribattezzato *Porta dell'Inferno*. Nel fervore dell'entusiasmo, Rodin produsse svariati schizzi e modelli di statue protese come a emergere dalla porta.

Questo lavoro gli ispirò molte delle sue creazioni più celebri. In origine, *Il pensatore* avrebbe dovuto sporgere dallo stipite più alto della porta, ma poi Rodin preferì separarlo, facendone un'opera a sé stante, molto più potente, che ritraeva il monumentale sforzo della creazione artistica. Allo stesso modo *Il bacio*, staccato dalla porta, assunse vita propria, così come *Le tre ombre* e molte altre sculture.

Rodin si lasciò condurre per mano dalla propria opera, seguì l'onda e lasciò che fosse il progetto stesso a fargli capire come procedere. Ignorò le aspettative e le scadenze del committente. Per anni i funzionari del Ministero lo tormentarono perché fornisse una data precisa per il termine dei lavori, e alla fine ci rinunciarono. La *Porta dell'Inferno* non fu mai conclusa, ma generò molti altri capolavori.

Un creativo è sensibile all'opera e a ciò di cui ha bisogno, quindi lascerà che il suo lavoro si evolva in modo naturale. Un'opera d'arte "sa" cos'è meglio per sé: non bisogna far altro che ascoltarne le richieste.

GUI L'ONDA SEGUI L'ONDA SEGUI L'ONDA SEGUI L'ONDA

L'IMMAGINAZIONE HA
IL PREGIO DI SCORRERE
SENZA MAI ARRESTARSI

Ralph Waldo Emerson

IO LAVORO CON GLI SCARTI

Julian Schnabel

Per essere creativi bisogna evitare la prevedibilità e andare sempre alla ricerca dei materiali più insoliti, perché porteranno a idee inaspettate.

Non acquistare i materiali che ti servono nei negozi "giusti".

Se lavori in un ufficio, non comprarli da un fornitore di cancelleria. Se sei un architetto, evita i grossisti da cui ti rifornisci di solito. Se sei un giardiniere, non rivolgerti ai vivai.

Se sei un artista non recarti nei colorifici. Vai piuttosto in farmacia, in un negozio di giocattoli, dal macellaio, nei negozi di animali, in un'officina o dall'elettricista: ovunque, tranne dove dovresti.

Usare materiali diversi ti costringerà a lavorare in modo diverso, e così comincerai anche a pensare in modo diverso.

25. SCEGLI GLI STRUMENTI SBAGLIATI

I soliti materiali, al contrario, ti spingono a procedere nella solita maniera.

Jenny Holzer non utilizza materiali tradizionali. Lei si serve delle parole, è famosa per i suoi "truismi", frasi brevi su argomenti vari, simili a slogan.

Esprime la sua arte attraverso la parola e per diffonderla si serve di oggetti di vario tipo, come insegne a LED, targhe, panchine o proiettori. Chi guarda resta spiazzato, perché i messaggi sono piuttosto insoliti.

Gli strumenti che utilizziamo ci guidano. Materiali bizzarri ci condurranno su strade sorprendenti.

26. NON SFORZARTI DI ESSERE ORIGINALE

Molte persone si arrendono perché non si sentono uniche o originali.

L'originalità non deve essere un obiettivo, è un'ambizione troppo elevata, un punto di partenza difficile. Bisogna pensare a se stessi come all'anello successivo della catena e spingere le cose ogni volta un po' più in là.

In questo modo si evita di misurarsi con standard impossibili e, sul lungo termine, si può riuscire creare qualcosa di originale.

Al loro esordio, molti artisti attingono a piene mani dalle opere altrui, e solo più tardi riescono a sviluppare la propria voce. Per esempio, se ti metti in testa di copiare un Turner, non riuscirai

mai a farne una copia esatta, la tua versione sarà sempre leggermente diversa. Quella differenza sarà una tua caratteristica peculiare, che con il tempo acquisirà un peso sempre maggiore. Più ci lavorerai, più sarà evidente, e sarà proprio ciò che ti renderà unico e originale.

La tecnica del *dripping* di Jackson Pollock non è venuta dal nulla: è riconducibile a Max Ernst e all'influenza che ha esercitato sui giovani artisti americani nella New York degli anni Cinquanta.

Ernst spiegava così la sua tecnica dell'oscillazione: «Legate una lattina vuota a un filo lungo un paio di metri e praticate un foro sul fondo. Quindi riempite la lattina con la vernice e fatela dondolare avanti e indietro su una tela piatta. Lo sgocciolio produrrà linee incredibili sulla tela». Questo metodo diede vita a dipinti simili a quelli di Jackson Pollock, il quale decise di approfondire la tecnica e di svilupparla a livelli più elevati.

È utile utilizzare le opere di qualcun altro come punto di partenza. Così facendo ti addentrerai sempre più nel tuo lavoro, finché l'artista a cui ti ispiri non "abbandonerà il campo".

Non preoccuparti di essere originale. Lo sei già. Devi semplicemente acquisire la sicurezza necessaria per essere chi sei.

NON PREOCCUPARTI

DI ESSERE

ORIGINALE

LA TUA ORIGINALITÀ

EMERGERÀ

IN OGNI CASO

27. FAI CIÒ CHE TI PIACE

Fai ciò che ti piace: solo così ti piacerà quel che fai.

Se quello che fai ti piace, è probabile che piacerà anche agli altri.

Se fai qualcosa solo perché pensi sia il tuo dovere, o perché ti sembra più saggio e sensato, finirai per perdere ogni interesse e sentirti insoddisfatto. Non sarai altro che l'ennesimo ingranaggio nella macchina di qualcun altro.

Non domandarti di che cosa il mondo ha bisogno, chiediti invece che cosa ti fa sentire vivo. E poi fai quella cosa: il mondo necessita di persone vitali.

Da bambina, il passatempo preferito della regista e fotografa americana Cindy Sherman era giocare a travestirsi. Aveva un baule pieno di costumi e passava ore cercando di trasformare il suo aspetto.

QUANDO HO INIZIATO A DIPINGERE MI SONO SENTITO UN PO' COME IN PARADISO. NELLA VITA QUOTIDIANA ERO SPESSO ANNOIATO E ANGOSCIATO... MI SONO MESSO A DIPINGERE E MI SONO SENTITO LIBERO COME NON MAI

Henri Matisse

Come artista ha continuato a fare quel che più le piace: interpretare ruoli. Si è travestita assumendo le sembianze dei personaggi più familiari e stereotipati della cultura popolare, come la segretaria, la bibliotecaria o la *femme fatale*, e si è fotografata nelle *location* adatte. Il suo lavoro si basa su ciò che più le dà piacere.

Non essere un avvocato durante la settimana e un surfista nel week-end. Sii un surfista sempre.

Si tende a pensare che il lavoro non debba necessariamente piacere e che prima si finisce meglio è. In realtà, trascorriamo al lavoro una media di cinquanta ore alla settimana, compreso il tragitto per andare e tornare. Se non siamo appagati da quel che facciamo, non saremo appagati nemmeno dalla vita in generale.

Quel che facciamo è ciò che siamo: dovremmo amare il nostro lavoro.

Non permettere agli altri di farti vergognare se apprezzi il tuo lavoro. Sono loro che sprecano la propria vita, non tu.

Qualunque cosa ti piaccia, rendila il fondamento della tua vita e del tuo lavoro. Così l'entusiasmo non ti abbandonerà mai.

28. UN BAMBINO DI CINQUE ANNI LO CAPISCE?

Può capitare di perdersi nelle idee e nel linguaggio e di usare parole che ci facciano apparire intelligenti, anziché esserlo per davvero.

Prova a riassumere quello di cui ti stai occupando in una frase.

Se cerchi di spiegarlo a un bambino di cinque anni e lui non ti capisce, significa che nella tua idea c'è qualcosa che non va.

Anziché con la crema da barba, Albert Einstein si radeva con il sapone per le mani. Una volta un amico gli chiese il perché e lui rispose: «Usare due saponi diversi? Troppo complicato».

Lo scienziato aveva un unico paio di scarpe; quando erano logore, ne comprava un nuovo paio e subito buttava via il vecchio. Per quanto banali, questi esempi illustrano un procedimento chiave del modo di pensare di Einstein: nel lavoro come nella vita, per lui la semplicità era un obbligo.

Pensava che le equazioni utilizzate all'epoca per l'elettricità e il magnetismo fossero troppo complesse. Per un singolo principio ci volevano due diversi gruppi di equazioni.

“LA BREVITÀ È SORELLA DEL TALENTO”

Anton Cechov

Quando presentò la teoria della relatività, spiegò di essere stato spinto a formulare delle nuove idee perché quelle già esistenti gli sembravano brutte ed eccessivamente complicate. La sua teoria nasceva proprio dal desiderio di semplificare: per lui, tutto si riassumeva in un'unica, breve equazione.

Molti si nascondono dietro al linguaggio tecnico, ma un linguaggio troppo complesso spesso cela la mancanza di un'idea interessante. È come se queste persone dicessero: «Guarda quanto sono intelligente!», più che «Guarda quanto è intelligente la mia idea».

Esporre la tua idea in modo succinto ti aiuterà a chiarire meglio ciò che stai facendo. Un'opera d'arte può anche essere complessa e stratificata, ma le commedie di Shakespeare, le opere di Mozart e le ninfee di Monet si possono tranquillamente sintetizzare in un paio di frasi.

29. FERMATI. PRIMA.

Una persona creativa si domanda, in qualunque momento: posso fermarmi qui?

L'ossessione per i particolari è soffocante. Un'opera non deve essere necessariamente ben rifinita per essere perfetta.

Michelangelo ha lasciato quattro sculture incompiute di schiavi che lottano per liberarsi dal giogo. Essendo incomplete, sono state considerate di scarsa importanza e sono rimaste per anni a languire da qualche parte nel Louvre.

Quegli schiavi erano un esempio dell'idea di Michelangelo di "liberare le figure imprigionate nel marmo". Le membra protese furono portate a termine, ma quelle in secondo piano sono appena abbozzate. L'impressione è che gli schiavi stiano letteralmente lottando per liberarsi dalla pietra.

Il pathos involontario evocato da quelle figure ebbe un fortissimo impatto su Rodin, che vedeva in esse un'espressività che si sarebbe persa nell'opera "finita".

Influenzato dagli schiavi di Michelangelo, Rodin arrivò a disprezzare il concetto di "opera compiuta" e a lasciare incomplete le sue creazioni per mettere alla prova l'immaginazione dell'osservatore.

All'epoca, la perfezione era rappresentata da sculture finite e ben levigate, tanto che lui veniva considerato pigro.

L'artista, tuttavia, in barba alle convenzioni, sosteneva che un'opera fosse finita quando lui aveva raggiunto il suo scopo.

FORSE LO SCHIZZO DI UN'OPERA
COSÌ BELLO PERCHÉ CHIUNQUE
UÒ COMPLETARLO COME VUOLE ”

Eugène Delacroix

DELLA. FINE.

30. LANCIA IL CUORE OLTRE L'OSTACOLO

Molte delle limitazioni e delle costrizioni che incontriamo ce le immaginiamo da soli. Siamo inibiti perché ci convinciamo di avere dei vincoli, quando in realtà non è così.

Non cercare di capire che cosa è possibile e che cosa no, è limitante. Se quello che vuoi fare sembra impossibile... preparati a fare l'impossibile. Stabilisci in che modo vuoi procedere prima di decidere se è possibile o se non lo è.

Una volta, all'università, ho tenuto una lezione di design al posto di un collega assente. Gli studenti dovevano realizzare, con un foglio A4, un aeroplanino che volasse per circa diciotto metri, da una parte all'altra dell'aula. Crearono un'ampia varietà di modelli, nessuno dei quali riuscì però a coprire la distanza. Alla fine, uno studente era così frustrato che appallottolò il suo aeroplano e lo lanciò nel cestino, dalla parte opposta dell'aula.

Quando tutti ebbero fatto un tentativo, senza successo, recuperai dal cestino il foglio accartocciato e dichiarai vincitore il ragazzo che lo aveva lanciato. Gli studenti rimasero sconcertati, quindi spiegai che, di fatto, l'aeroplano aveva percorso i diciotto metri richiesti.

CHI HA DETTO CHE UN AEREO DEBBA PER FORZA SEMBRARE UN AEREO?

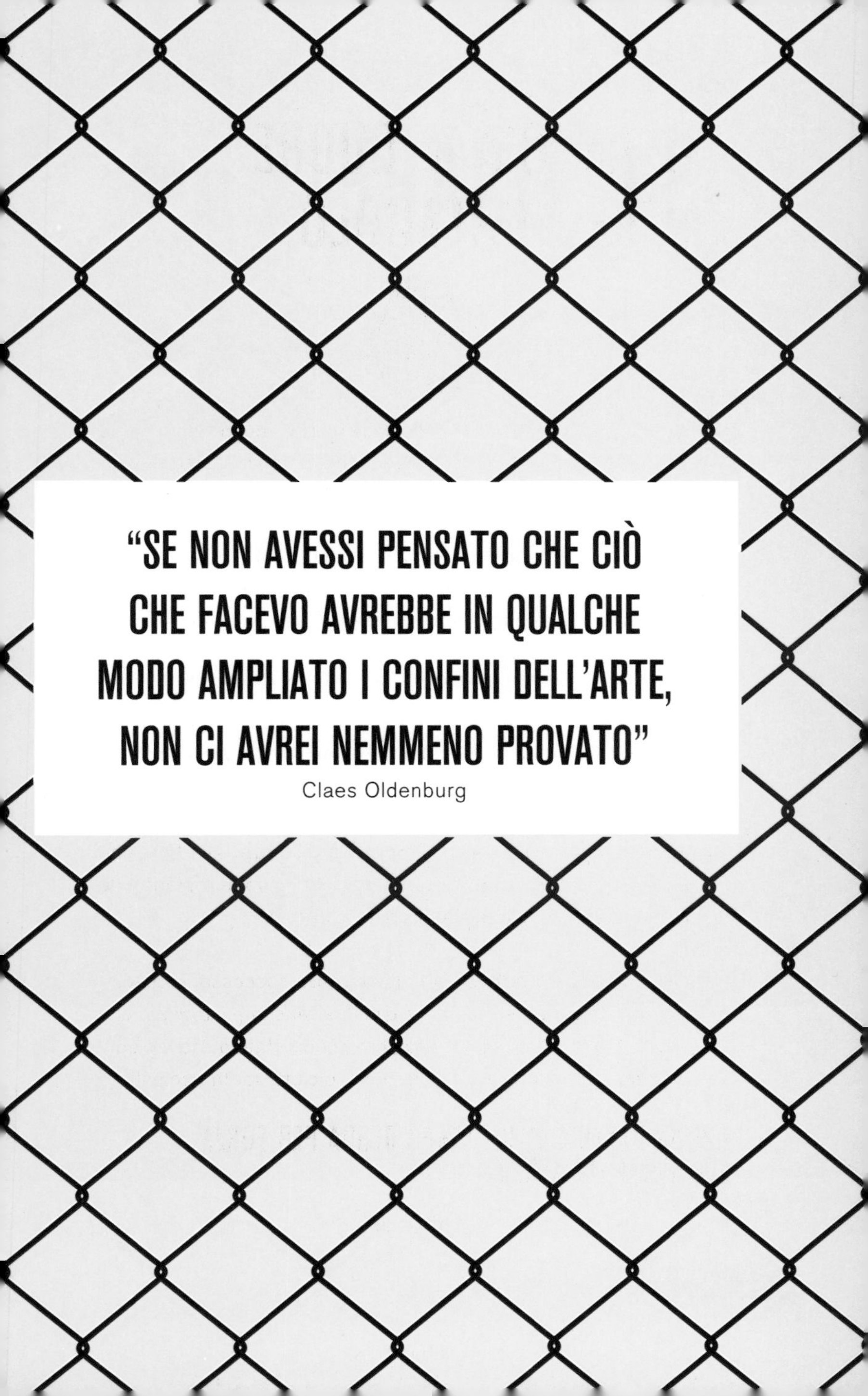
"SE NON AVESSI PENSATO CHE CIÒ
CHE FACEVO AVREBBE IN QUALCHE
MODO AMPLIATO I CONFINI DELL'ARTE,
NON CI AVREI NEMMENO PROVATO"
Claes Oldenburg

31. OSARE, SEMPRE

L'audacia è fondamentale per la creatività. Ci sono romanzi mai pubblicati che restano chiusi in un cassetto, dipinti favolosi accatastati dietro qualche armadio e attori di talento che non tentano nemmeno un provino, tutto per mancanza di audacia.

Servì un bel coraggio a Damien Hirst per immergere uno squalo in una vasca di formaldeide, ai Sex Pistols per salire su un palco senza saper suonare gli strumenti e a Stanley Kubrick per riscrivere il copione di *Shining* più volte nel corso delle riprese.

Marcel Duchamp comprò degli oggetti in un negozio e li espose così com'erano in una galleria d'arte. Il più noto è un orinatoio, che lui firmò con il nome del produttore, R. Mutt. Ne nacque un putiferio.

Ci voleva una certa faccia tosta per sbattere in faccia al mondo dell'arte l'idea secondo cui l'abilità tecnica non è importante e un'opera d'arte non deve per forza essere qualcosa di unico.

Bisogna avere l'impudenza necessaria per spingersi oltre ed esporsi al ridicolo. Spesso le persone creative sono ansiose e insicure come tutti gli altri, ma capiscono che nessuno è in grado di fare sempre le cose giuste. La loro fiducia in se stessi dipende dal fatto che non hanno paura di sbagliare.

Parecchi artisti di talento si perdono per strada per mancanza di coraggio, così come molti individui estremamente dotati vivono nel buio dell'anonimato a causa della timidezza. La creatività è una questione di spavalderia, più che di talento.

DAL TUO VERO AVVERSARIO TI VIENE UN CORAGGIO ILLIMITATO

Franz Kafka

32. I SOLDI NON SONO UN PROBLEMA

Non ha senso far finta che denaro e creatività siano totalmente separati. Anche i creativi prima o poi si trovano a fare i conti con i soldi, come tutti.

Prova a vedere il lato economico della creatività come una boccata d'ossigeno.

Una galleria d'arte, in fondo, è un negozio. Entri, ti piace qualcosa, compri e porti a casa. Questo aspetto mette a disagio tutte le persone coinvolte: il commerciante, l'artista e il collezionista. Tutti evitano di parlare del denaro in pubblico, ma ciò non toglie che una galleria resta pur sempre un negozio.

Gli artisti di successo che ho conosciuto avevano un ottimo senso degli affari. Non lo dicono troppo in giro, ma se non fosse così non potrebbero continuare a dedicarsi all'arte.

Willem de Kooning e Jasper Johns si rivolgevano allo stesso commerciante d'arte, Leo Castelli. De Kooning, che ce l'aveva con Castelli, disse di lui: «Quel figlio di puttana! Dategli due lattine di birra e riuscirà a vendere pure quelle!». Johns lo sentì e pensò: «Due lattine di birra: che bella scultura!». Fu così che Johns scolpì due lattine di birra e... Castelli riuscì a venderle davvero!

La creatività fa parte della vita e I SOLDI non si possono separare dalla vita.

Non fingere che il legame non esista: accettalo.

PERCHÉ TUTTI PENSANO CHE GLI ARTISTI SIANO TANTO SPECIALI? IN FONDO, IL LORO È UN MESTIERE COME TANTI

Andy Warhol

33. ALL'ESTREMO

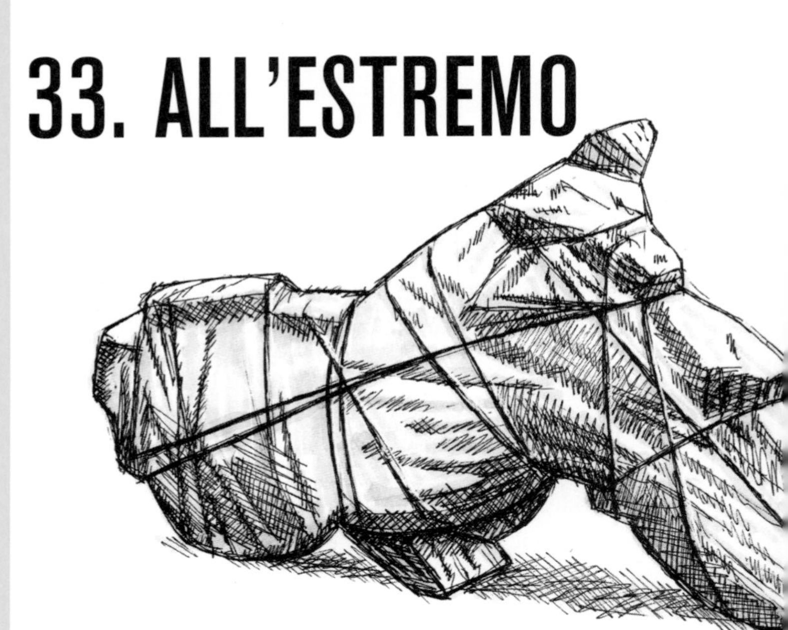

Fino a che punto riesci a spingerti in ciò che fai? Sii estremo, innovativo, drastico. Esagera. Qualunque cosa tu faccia, porta te stesso e il tuo lavoro al limite.

Esamina tutti gli aspetti della vita e del lavoro, quindi spingili più in là che puoi. Andando verso gli estremi, si scoprono mondi nuovi.

Christo e Jeanne-Claude erano partner nella vita e nell'arte. La loro specialità era ricoprire gli oggetti in modo da nasconderli del tutto alla vista. Ciò rendeva interessanti anche le cose più comuni, quelle che di solito diamo per scontate.

I due artisti hanno cominciato con piccoli oggetti come bottiglie e riviste, quindi sono passati a cose più grosse, per esempio motociclette o insegne di negozi.

**NON ESISTE ARTE ESAGERATA.
CREDO PURE
CHE LA SALVEZZA
SIA SOLO NELL'ESTREMO**

Paul Gauguin

Le loro opere hanno assunto una dimensione via via maggiore: sono arrivati a ricoprire l'intera costa di Little Bay a Sidney, in Australia, il Pont Neuf di Parigi e il Reichstag di Berlino.

I progetti di Christo e Jeanne-Claude sono stati spesso osteggiati dal pubblico e dalle autorità. Quando hanno deciso di ricoprire il palazzo del Reichstag è stata durissima convincere i parlamentari: i due sono andati da un ufficio all'altro, hanno scritto lettere esplicative a tutti i 662 membri del Parlamento e hanno affrontato un'infinità di telefonate e trattative.

Per portare a termine il progetto ci sono voluti centinaia di assistenti, 100 000 metri quadrati di telo in polipropilene ignifugo coperto da uno strato di alluminio e quindici chilometri di corda. Allo spettacolo hanno assistito ben cinque milioni di persone.

Pensa a ciò che può essere portato all'estremo, ingigantito o minimizzato. Come affronteresti il tuo progetto se avessi a disposizione tutte le risorse del mondo, oppure se non ne avessi proprio nessuna?

34. AL BANDO LE SUPPOSIZIONI

Non bisogna lasciarsi influenzare dagli altri. Una persona creativa non dà nulla per scontato. Se una cosa è considerata vera a priori la mette subito in discussione, in modo da scoprire senza pregiudizi la propria verità.

Charles Darwin formulò la teoria dell'evoluzione affermando che tutte le specie animali discendevano da antenati comuni. Era un'idea pericolosa, che distruggeva parecchie credenze profondamente radicate. Darwin era stato respinto dalla facoltà di Medicina di Cambridge e, in ogni caso, aveva uno scarso interesse per l'istruzione tradizionale. Perciò era libero dai vincoli della dottrina istituzionale.

Secondo la leggenda, Darwin fece avere all'illustre zoologo John Gould tredici uccelli provenienti da diverse isole, perché li studiasse. Gould rimase di sasso: erano tutti fringillidi, ma ognuno leggermente diverso dall'altro. Secondo i principi della scienza dell'epoca, Dio avrebbe creato un certo numero di specie im-

SE TUTTI CI BASASSIMO SULLA CONVINZIONE CHE CIÒ CHE SI RITIENE VERO È VERO A TUTTI GLI EFFETTI, AVREMMO BEN POCHE SPERANZE DI PROGRESSO

Orville Wright

mutabili. Gould era il migliore nel suo campo e aveva tutte le informazioni che gli servivano, ma cercò comunque di adattarle alle convinzioni vigenti. Non si rese conto di avere di fronte un perfetto esempio di evoluzione.

Darwin si domandò se i fringillidi non fossero in origine una specie dall'evoluzione lenta per via dei diversi habitat di provenienza. Lui non si attenne ai canoni vigenti e, in questo modo, fu in grado di vedere ciò che aveva davanti.

Pur possedendo meno conoscenze e meno esperienza degli altri naturalisti, Darwin ha cambiato il nostro modo di pensare, perché era l'unico a ragionare senza essere accecato dalla scienza istituzionale, e inoltre non dava niente per scontato: voleva scoprire la realtà autonomamente.

Non trarre conclusioni basate su conoscenze del passato e non ritenere vero nulla finché non l'hai dimostrato.

LE SUPPOSIZIONI

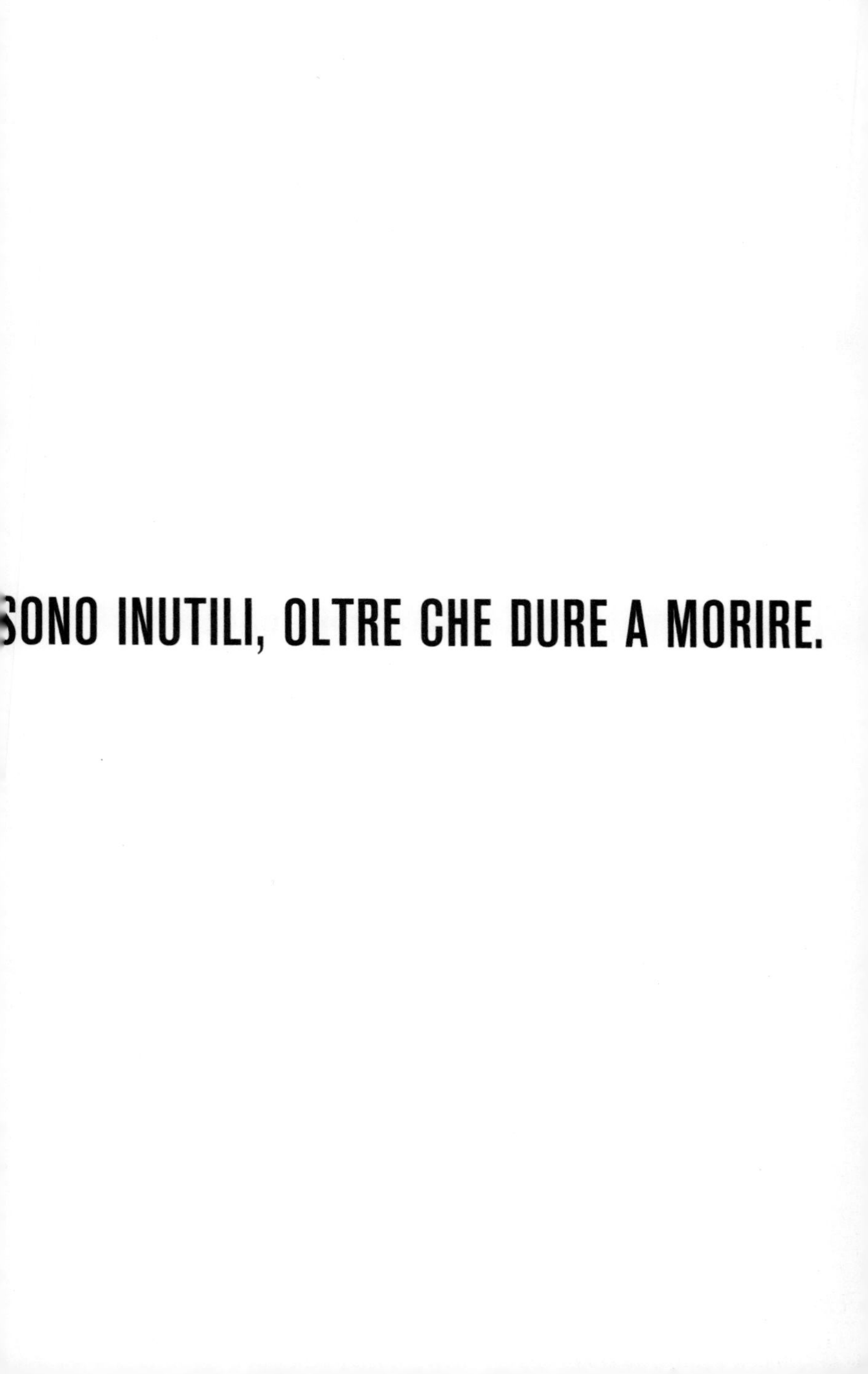
SONO INUTILI, OLTRE CHE DURE A MORIRE.

35. CRITICA IL CRITICO

Nessun creativo vive dentro una bolla, a tutti servono le opinioni degli altri.

Non le opinioni di chiunque, però: abbiamo bisogno del giudizio di qualcuno di cui ci fidiamo. Un collezionista può giudicare un'opera in base alla possibilità di includerla nella sua collezione, un gallerista penserà alla vendibilità, il curatore di un museo cercherà di capire se è in linea con i trend del momento.

Il mondo critica ciò che non comprende: crea qualcosa di innovativo e unico e nessuno saprà che farsene. Il pubblico diffida delle novità.

Dopo lo scioglimento dei Beatles, Paul McCartney ebbe parecchie difficoltà a ottenere delle critiche sincere. I nuovi musicisti e produttori con cui lavorava avevano troppo rispetto nei suoi confronti per mettere in discussione ciò che faceva, al contrario di John Lennon, sempre pronto a fargli notare i punti deboli del suo lavoro.

CHIUNQUE VEDA E DIPINGA UN CIELO VERDE E UN PASCOLO AZZURRO ANDREBBE STERILIZZATO

Adolf Hitler

Assimilare le critiche può farti progredire molto. Non chiedere un parere solo perché speri in un elogio, ma cerca di individuare ciò che non funziona in quel che fai e impegnati per migliorare.

Quando qualcuno osserva un'opera, non è detto che veda o rifletta davvero su quel che ha davanti. Magari si sta dicendo: "Non voglio ferire questa persona, quindi esprimerò un parere educato", oppure "Detesto l'astrattismo e la sua opera mi fa schifo", o "Vorrei poter dire qualcosa che dimostri quanto sono brillante".

Genitori, amici e colleghi possono essere i critici più feroci, perché può capitare che sfoghino su di te le loro invidie e frustrazioni. Stanne alla larga.

Scegli i tuoi critici con cura: persone che sappiano osservare un lavoro e giudicarlo per quello che è e non per quello che vorrebbero che fosse. Hai bisogno di un'opinione sincera, non di un'opinione qualsiasi.

36. FAI A PEZZI LA TUA OPERA

Le persone creative non perdono tempo. Se qualcosa non funziona, si elimina e si ricomincia da qualcos'altro.

Spesso sviluppiamo un attaccamento emotivo ai progetti per cui abbiamo speso molte energie. Ciò a cui stiamo lavorando diventa prezioso, come un bambino che abbiamo nutrito e accudito.

Tuttavia, più proviamo a salvare un progetto, più appare logoro e artificioso.

Smettere di picchiare la testa contro un muro e passare a qualcosa di più produttivo è una decisione saggia, non un fallimento.

Si tratta di assumere il controllo della situazione prima che sia troppo tardi.

Francis Bacon era celebre per aver distrutto moltissimi suoi dipinti: faceva a pezzi tutti i quadri di cui non era soddisfatto. Era così spietato con se stesso che, dei primi quindici anni di carriera, sopravvivono solo quattordici opere, e anche negli ultimi anni di vita continuò a squarciare in maniera rituale tutte le tele che scartava. Nulla che non fosse di primissima qualità doveva uscire dal suo studio. Una volta, passando davanti a una galleria d'arte, vide un suo dipinto in vetrina e non lo trovò bello come aveva creduto un tempo, così entrò nel salone, lo comprò e lo distrusse.

Bacon sapeva che più lavorava a un dipinto, più il risultato era pesante e pomposo.

Non fissarti su un progetto. Se ti innamori troppo di un'idea, non vedrai mai i pregi di un'eventuale alternativa.

OGNI ATTO DI CREAZIONE È, PRIMA DI TUTTO, UN ATTO DI DISTRUZIONE
Pablo Picasso

37. SII CERTO DELLE INCERTEZZE

“LA COSTANZA È CONTRARIA ALLA NATURA, CONTRARIA ALLA VITA. LE UNICHE PERSONE ASSOLUTAMENTE COSTANTI SONO I MORTI”

Aldous Huxley

Tutto intorno a noi cambia continuamente. Nulla resta uguale, nulla è per sempre. Una persona creativa non cerca di contrastare questo dato di fatto ma, al contrario, lo sfrutta a proprio favore.

Ogni cosa è in mutamento, i confini tra le discipline crollano, i valori si fanno più confusi e il cambiamento viaggia sempre più rapido.

Il Dadaismo si sviluppò nel caos economico e morale in cui piombò la società occidentale dopo la prima guerra mondiale. Si trattò di una rivolta degli artisti contro l'arte stessa.

Invece di provare a dare un senso alla confusione o a ricavare l'ordine dal caos, i dadaisti vi si crogiolarono; per loro fu una liberazione, un autentico godimento.

Le opere dadaiste rispecchiavano il mondo che le circondava, erano coerenti con l'assurdità e il senso di incertezza del tempo. Mancava un obiettivo, un punto di riferimento.

Un giorno Hans Arp gettò a terra i pezzi di un disegno strappato. Colpito dalla nuova immagine creata dai frammenti ammucchiati in modo casuale, pensò di incollarli tra loro nello stesso ordine in cui erano caduti. Da allora continuò a lavorare su fotografie e disegni ritagliati, per creare delle raffigurazioni del caos.

La velocità dei cambiamenti e la flessibilità dei valori sono elementi chiave della società attuale. Goditi l'incertezza e non cercare di imporre un falso ordine alla realtà.

Chi non è confuso non può capire realmente ciò che accade.

38. METTI TUTTO sotto SOPRA

La creatività ci impone di vedere cose nuove, in modo totalmente diverso dagli altri.

Cambiare mentalità e ragionare al contrario genera flussi di pensiero originali, che portano a soluzioni altrettanto originali.

Chi ha una mente creativa fa l'opposto di ciò che si farebbe di solito, sovverte la maniera tradizionale di affrontare un argomento e va in cerca di alternative estreme.

Non si tratta di trovare il giusto metodo o la risposta corretta: bisogna individuare l'alternativa.

**MI SONO COSTRETTO A CONTRADDIRMI
PER EVITARE DI CONFORMARMI AI MIEI STESSI GUSTI**

Marcel Duchamp

Fare il contrario di ciò che tutti si aspettano è un modo per cambiare prospettiva.

Hubert Cecil Booth ha inventato il moderno aspirapolvere. I primi prototipi da lui realizzati risoffiavano la polvere nell'aria, in linea con la maniera in cui si eliminava la polvere all'epoca, battendo i tappeti e spazzando il pavimento.

Convinto che invece andasse risucchiata, Booth dotò il suo apparecchio di un filtro che avrebbe trattenuto la polvere all'interno.

All'inizio la sua invenzione fu considerata ridicola, ma con il tempo è stata accettata e apprezzata.

Il pittore tedesco Georg Baselitz divenne famoso per i suoi ritratti di persone e oggetti a testa in giù. Le immagini capovolte costringono l'osservatore a rivedere il modo in cui interpreta un quadro. Al rovescio, un dipinto perde il suo normale significato e diventa impossibile afferrarne il senso in maniera convenzionale.

RIBALTARE LE PROSPETTIVE APRE LA MENTE E CI FA VEDERE LE COSE SOTTO UNA LUCE NUOVA.

Nel bel mezzo di un progetto, prova a ribaltare ciò che stai facendo.

Capovolgi tutto, fai diventare grande ciò che è piccolo e piccolo ciò che è grande, imbruttisci il bello e sostituisci il nero con il bianco.

Qualunque cosa tu stia facendo, ribaltala.

IL CONTRARIO

PER AVERE SUCCESSO
ED ESSERE DIVERSI
BISOGNA PROVARE
COSE NUOVE
E FARE

_______________ DI CIÒ
CHE FANNO GLI ALTRI

39. SEMPLIFICA

E POI SEMPLIFICA ANCORA

Elimina i dettagli inutili e vai all'essenziale. Le più grandi menti creative sanno essere di una semplicità disarmante.

Non confondere la semplicità con la facilità. È facile essere complicati. Il difficile è "sottrarre", mettere in evidenza ciò che conta e ridurlo all'essenziale.

Nella mostra *The New*, Jeff Koons espose alcuni aspirapolvere e battitappeti nuovi di zecca in teche di plexiglas illuminate da luci fluorescenti. Aveva lasciato gli oggetti così com'erano e li aveva intitolati con i loro nomi, per esempio *New Hoover Deluxe Shampoo Polishers*.

In quanto opere d'arte, quegli oggetti si potevano interpretare su diversi livelli: come simboli del desiderio e come metafore dell'ansia diffusa di ordine e pulizia.

Restano nuovi in eterno, veri e propri monumenti alla pulizia.

Se avesse alterato in qualche modo gli apparecchi, Koons avrebbe rischiato di togliere loro qualcosa. Invece ha lasciato che parlassero da soli.

I dettagli confondono e ostacolano.

Qual è la definizione più sintetica di ciò di cui ti stai occupando?

Che cos'è il meno che potresti fare? Che cosa è superfluo?

Vincent Van Gogh

40. TROVA CIÒ CHE NON STAI CERCANDO

Circondati di cose che ti interessano. È dura essere creativi se non si ha niente con cui esserlo: iniziando dal nulla, si deve inventare tutto da zero.

Più informazioni raccogli, più risorse avrai per generare nuove idee.

Quasi tutte le persone creative amano collezionare oggetti. Joseph Cornell era dotato di una curiosità insaziabile, raccoglieva e conservava enormi quantità di roba in maniera casuale: qualsiasi cosa gli sembrasse interessante attirava la sua attenzione.

Ciò che lo affascinava di più erano le cose che gli altri buttavano via. Durante le sue lunghe passeggiate per New York prendeva d'assalto strade, negozi dell'usato e mercatini delle pulci alla ricerca di qualunque oggetto destasse il suo interesse.

Quando morì, a casa sua furono trovati circa 3000 libri e riviste, migliaia di film e dischi e decine di migliaia di oggetti catalogati secondo le categorie più bizzarre, come ragni, lune, gufi ritagliati, puntine da disegno, pezzi di orologi e sfere di legno.

Le sue opere d'arte consistevano in scatole chiuse sul davanti da una lastra di vetro, in cui disponeva gli oggetti. Spostava il contenuto di continuo, cercando le giuste combinazioni, aggiungendo o togliendo i vari elementi. Ci volevano mesi prima che giungesse a una combinazione soddisfacente.

I creativi sono curiosi, sempre attenti a ciò che è insolito. Non sono motivati dal valore economico delle cose, ma dal loro interesse intrinseco.

CREDO CHE L'ARTISTA DEBBA ESSERE
UN PO' COME UNA BALENA,
CHE NUOTA CON LA BOCCA APERTA
E ASSORBE QUALUNQUE COSA
FINCHÉ NON ARRIVA CIÒ DI CUI HA BISOGNO

Romare Bearden

41. Qui, ORA

Un vero creativo si concentra totalmente sul compito a cui si sta dedicando.

Quando i sogni a occhi aperti, le telefonate o le e-mail intaccano l'attenzione, non si è in grado di concentrarsi adeguatamente.

È bene quindi creare una situazione in cui non si abbia altra scelta che restare attenti.

Nelle gallerie d'arte la neutralità dell'ambiente elimina ogni distrazione, così che i visitatori possano soffermarsi sulle opere esposte. Molti artisti riproducono la stessa situazione nel proprio studio.

Cartesio si rinchiuse per giorni in una stanza buia a riflettere sulla domanda: «Che cosa è conoscibile?». Ne uscì con la filosofia razionalista.

Benny e Björn degli Abba trascorrevano intere settimane rintanati in una baita spoglia a comporre musica.

L'artista americano Tom Friedman lavorava nel classico studio invaso dal disordine.

In un momento di incertezza sul suo lavoro e sulla direzione da intraprendere, decise di svuotarlo.

Non lasciò nulla. Né materiali, né sedie, né attrezzature. Nulla.

Inchiodò delle assi di legno alle finestre e dipinse tutto, compreso il pavimento, di bianco. Sul soffitto installò delle luci fluorescenti che creavano un'illuminazione diffusa, così che le pareti non fossero ben visibili.

Ogni giorno portava in studio un oggetto, lo posava sul pavimento e passava tutto il tempo a esaminarlo e a ragionare sulla sua storia, la sua fabbricazione e il suo significato culturale.

Iniziò a manipolare gli oggetti con delicatezza e sviluppò un suo procedimento, che continuò a usare anche in seguito.

Devi concentrarti su un unico raggio di luce. Non lasciare che si propaghi in mille direzioni.

“IL SOLO MODO IN CUI RIUSCIVO A LAVORARE ERA RICORRENDO AL MASSIMO GRADO DI CONCENTRAZIONE E OSSERVAZIONE DI CUI FOSSI CAPACE”

Lucian Freud

SE STESSI
PER MORIRE
E POTESSI
FARE
UNA COSA
SOLTANTO

COSA
FARESTI?

E COSA
STAI
ASPETTANDO?

42. IL GIUSTO AMBIENTE

Crea l'ambiente giusto e otterrai il giusto stato d'animo.

Il luogo di lavoro che scegli dovrebbe aiutarti a entrare nel *mood*. Un ambiente in cui è piacevole trascorrere il tempo renderà più facile produrre in modo creativo.

Tutti i musicisti desiderano lavorare negli Abbey Road Studios, ricavati da una vecchia villa georgiana ristrutturata. L'aria che vi si respira è unica. C'è chi ne ha paragonato l'acustica a un bagno caldo in una vasca di cioccolata bollente, e il soffitto altissimo genera ben cinque secondi di riverbero. L'atmosfera è dovuta in parte anche alla storia del luogo. Edward Elgar fu il primo ad assaporare lo stile del primo studio di registrazione commerciale al mondo e decine di gruppi rock, tra cui i Beatles, hanno prodotto lì i loro lavori migliori. Gli Abbey Road Studios stimolano qualunque musicista a dare il meglio, nessuno vorrebbe mai andarsene. Non ci sono distrazioni, la concentrazione è totale; è facile perdere il contatto con la realtà circostante ed esplorare idee e possibilità di ogni tipo. Qui un musicista riesce davvero a fare ciò che vuole.

Tutti abbiamo delle reazioni mentali ed emotive in risposta al luogo in cui ci troviamo. Se un ambiente è piacevole, la qualità del lavoro migliora a livelli inimmaginabili. Conta l'atmosfera: uno scrittore può lavorare benissimo anche in cantina in un giorno di pioggia.

Creando il contesto adatto si eliminano gli attriti e si produce meglio e in minor tempo.

TUTTO LO STUDIO PAREVA INTRISO DI PICASSO. ANCHE I PEZZI DI LEGNO E LE CORNICI SEMBRAVANO OPERE D'ARTE

Vanessa Bell a proposito dello studio di Picasso

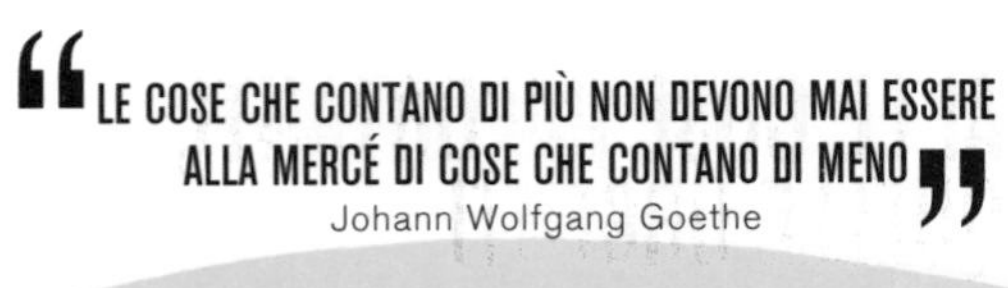
LE COSE CHE CONTANO DI PIÙ NON DEVONO MAI ESSERE
ALLA MERCÉ DI COSE CHE CONTANO DI MENO
Johann Wolfgang Goethe

43. FAI LE COSE IMPORTANTI, NON QUELLE URGENTI

A tutti capita di avvertire l'urgenza di rispondere alle e-mail, stilare liste di cose da fare, telefonare, inviare sms e così via, sacrificando quel che conta davvero. Quel lungo elenco di e-mail sarà sempre lì, le moderne comunicazioni possono diventare un vortice nel quale si rischia di cadere e scomparire. Svolgere le mansioni ordinarie non ti porterà mai a creare qualcosa di sconvolgente.

Dai la precedenza alla creatività. Inizia la giornata lavorando al tuo progetto, ti sentirai più energico e intraprendente. La creatività deve essere il tuo obiettivo principale.

Mozart metteva sempre la musica al di sopra di tutto. Componeva in ogni momento: durante i pasti, quando conversava con gli amici o giocava a biliardo e persino mentre sua moglie stava partorendo nella stanza accanto. Scriveva enormi quantità di musica. Nonostante sia morto giovane, ci vorrebbero più di otto anni per suonare tutto ciò che ha composto, senza mai fermarsi. Per lui la creatività aveva la precedenza. Bisogna trattare le sciocchezze come tali, dando importanza alle cose che contano.

Non passare la parte migliore della giornata, cioè quando sei più fresco, a svolgere le faccende di routine: quando ti dedicherai alle cose serie sarai già stanco e avrai più difficoltà a concentrarti.

Ci vuole tempo per creare qualcosa di eccezionale: un romanzo, un dipinto, un'azienda rivoluzionaria. Eppure, non sembra mai tanto urgente quanto dedicarsi a quei fastidiosi mezzi elettronici di cui non riusciamo a liberarci. La cosa più importante spesso è quella che fa meno rumore.

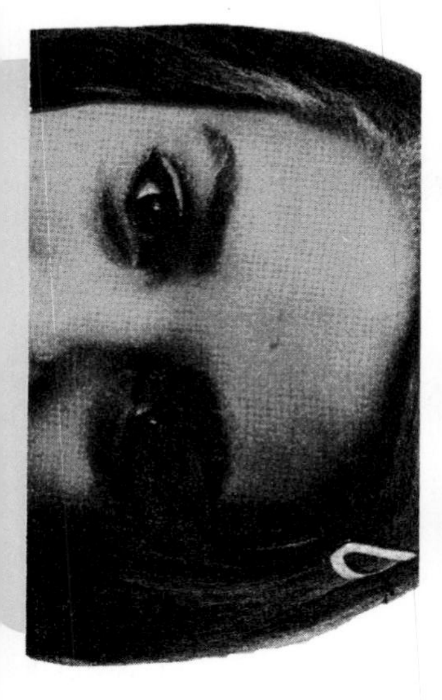

44. NON LASCIARE CHE LE IDEE RESTINO IDEE

L'inchiostro dura più a lungo del ricordo. L'ispirazione svanisce in fretta, ecco perché un buon creativo mette le sue idee per iscritto nel momento stesso in cui le concepisce.

Beethoven portava sempre con sé dei blocchi di fogli su cui annotare le melodie e i suoi quaderni erano pieni di "schizzi concettuali". Esiste un disegno o un dipinto per quasi ogni giorno della vita di Van Gogh, dal momento in cui aveva iniziato a dipingere.

Leonardo da Vinci aveva appunti straordinari sulle sue invenzioni, idee e osservazioni. Regnava la confusione, la scrittura era affrettata e la punteggiatura scarsissima. Eppure si tratta di appunti illuminanti, grazie ai quali possiamo apprendere molto sul suo modo di pensare. Per esempio, sappiamo che soffriva di deficit dell'attenzione, perciò preferiva fare le cose un pezzo alla volta.

MOLTI SOSTENGONO CHE LEONARDO DISEGNASSE COSÌ BENE PERCHÉ CONOSCEVA LE COSE. IN REALTÀ, SAREBBE PIÙ APPROPRIATO DIRE CHE CONOSCEVA LE COSE PERCHÉ DISEGNAVA COSÌ BENE

Kenneth Clark

Leonardo aveva iniziato a usare i quaderni per migliorare la qualità dei dipinti: studiava l'anatomia, le piante e le rocce per poterle poi riprodurre in modo più autentico sulle tele. Gli appunti rappresentano una testimonianza della sua passione per la natura e del suo genio inventivo.

Lo schizzo cattura l'energia e l'esaltazione dell'idea prima che venga filtrata dalla razionalità. Spesso un'idea è già buona nel momento preciso in cui viene impressa sulla carta per la prima volta.

È bene portare sempre un bloc-notes con sé, ovunque, al punto di non poterne più fare a meno; bisogna considerarlo un magazzino delle idee, che serve a mantenere la mente sempre sgombra.

Puoi scrivere o disegnare in qualunque situazione, ti aiuterà a essere più consapevole. Non ti renderai mai conto di quante buone idee hai finché non comincerai ad annotarle.

I DILETTANTI ASPETTANO L'ISPIRAZIONE. TUTTI GLI ALTRI SI RIMBOCCANO LE MANICHE E SI METTONO AL LAVORO

Chuck Close

45. NON ASPETTARE L'ISPIRAZIONE

A nessuno piace aspettare l'ispirazione per ore. Invece di sprecare tempo in attesa che arrivi per puro caso, ogni creativo che si rispetti ha il proprio metodo per stimolarla ogni volta che serve.

Il trucco è trovare la maniera per entrare in uno stato mentale che ci porti a dare il meglio.

Beethoven si versava dell'acqua ghiacciata in testa prima di mettersi a lavorare. Van Gogh beveva assenzio. Steven Spielberg ha avuto molte delle sue idee migliori mentre guidava. Il filosofo Immanuel Kant lavorava a letto tutti i giorni alla stessa ora, fissando una torre da una finestra aperta e con le coperte disposte in un modo ben definito. Rudyard Kipling scriveva solo con inchiostro di colore nero ossidiana. Albert Einstein aveva le idee migliori al mattino sotto la doccia, tanto che arrivò a pensare di farsi costruire una doccia nel suo studio e di entrarci per lavorare.

Ognuno di loro aveva un modo per creare uno stato mentale favorevole allo sbocciare di nuove idee: metodi pratici che ne cambiavano l'umore e li rendevano più ricettivi a nuovi orizzonti di pensiero, così da farli entrare in connessione con le proprie risorse più profonde.

46. I LIMITI NON SONO UN LIMITE

Ognuno ha i suoi limiti, ma il pensiero creativo sa trovare il modo per aggirare anche gli ostacoli che sembrano insormontabili. Questo processo può portare a risultati non solo soddisfacenti, ma anche originali e degni di nota.

A volte i problemi ricordano le pareti di un labirinto in cui è quasi impossibile ritrovare la strada, eppure c'è sempre una via d'uscita. Basta cercarla con la giusta convinzione.

Molti musicisti hanno dovuto superare grossi limiti. Bob Dylan era un pessimo cantante, così mise nei testi quella forza che mancava alla voce. Jerry Garcia, chitarrista dei Grateful Dead, si tagliò mezzo dito medio della mano destra mentre spaccava la legna. Il chitarrista jazz Django Reinhardt riportò una paralisi parziale alla mano sinistra in seguito a un incendio. Tony Iommi dei Black Sabbath perse le falangi di due dita della mano destra in un incidente in fabbrica, ma costruì delle protesi e continuò per la sua strada, fino a diventare uno dei chitarristi rock più acclamati degli anni Settanta. Questi artisti hanno saputo sviluppare nuove tecniche per vincere i propri limiti, dando vita a un sound unico e inconfondibile che ha permesso loro di distinguersi da tutti gli altri.

Se un chitarrista può superare la perdita delle dita, è evidente che si può rimediare quasi a tutto. Soluzioni creative a problemi che appaiono impossibili da affrontare possono spingere a esplorare zone del tutto nuove e originali della creatività.

PIEDI, CHE COSA ME NE FACCIO DI VOI QUANDO HO ALI PER VOLARE?

Frida Kahlo

Un creativo non cerca scuse («costa troppo, non ho tempo, non ho la giusta attrezzatura...»). Se si vuole fare qualcosa c'è sempre una maniera, e una persona creativa la troverà. Non starà a pensare alle ragioni per cui non si può fare, ma a quelle per cui invece è possibile.

Agli aspiranti registi, Stanley Kubrick consigliava di prendere una cinepresa e girare un film, uno qualsiasi. Sapeva che era l'unico modo per cominciare: si impara dall'esperienza.

Il film horror *The Blair Witch Project* fu prodotto con un budget di 20 000 dollari e con soli cinque attori. Eppure arrivò a incassare più di 250 milioni di dollari.

Il film è la storia di tre studenti di regia che scompaiono sulle Black Hills, nel Maryland, dove si erano avventurati per girare un documentario sulla leggenda della strega di Blair. Il film fu presentato come un documentario ricavato dal montaggio delle loro riprese. Si disse che i tre studenti non erano mai tornati e che era stata ritrovata solo la loro videocamera. La trama permise agli attori di occuparsi delle riprese in prima persona, evitando così costi di produzione ben più elevati, i dialoghi erano improvvisati e quasi tutto ciò che accadeva nel film veniva comunicato agli attori giorno per giorno.

I registi del film, quelli reali, non possedevano una videocamera. Acquistarne una di alta qualità sarebbe stato un duro colpo per il loro budget, così dopo averla comprata e utilizzata per le riprese la restituirono al negozio e chiesero il rimborso, abbattendo ulteriormente i costi.

Con mezzi e denaro scarsissimi, i tre hanno dato vita al loro primo lungometraggio. Adoravano l'idea di girare un film, così l'hanno fatto davvero.

Qualsiasi progetto presenta dei problemi, ma se pensi in modo creativo riuscirai ad aggirarli.

47. BASTA CON LE SCUSE

SE NECESSARIO, DIPINGEREI ANCHE CON IL FONDOSCHIENA

Jean-Honoré Fragonard

48. IL FUTURO È *ADESSO*

"NON SI PUÒ RIMANDARE LA GIOVINEZZA ALLA PENSIONE"

Philip Larkin

Non rimandare ciò che è più importante per te, non aspettare di avere tempo e denaro a sufficienza o una casa perfetta. Fallo ora, prima che sia troppo tardi.

Le esperienze di pre-morte costringono coloro che le provano a rivalutare la propria esistenza. Rendersi conto in maniera così cruda della possibilità di morire li spinge a desiderare di vivere al massimo, così mettono in moto cambiamenti radicali, passano a lavori più edificanti, vanno a vivere in campagna e, in generale, si dedicano a quelle cose che avrebbero sempre voluto fare ma hanno continuamente rimandato. Se solo queste persone avessero preso prima le stesse decisioni!

Dostoevskij fu condannato a morte insieme ad altri individui considerati sovversivi. Venne il suo turno e si ritrovò di fronte al plotone d'esecuzione: «Presentat'arm! Mirare! Puntare...». L'ordine «Fuoco!» non arrivò mai, perché un messo imperiale giunse appena in tempo con la grazia dello Zar.

Il trauma di aver visto la morte in faccia cambiò lo scrittore nel profondo. Si sentiva come se gli avessero concesso una nuova vita e ne fu rinvigorito, disse che era stato come aver preso un pugno in faccia. Fu una specie di sveglia, e da quel momento si risolse a dedicarsi a ciò che per lui contava di più: scrivere. Attraversò un vero e proprio cambiamento spirituale e si convinse che la redenzione non può avvenire che attraverso il dolore e la fede. Tale convinzione avrebbe poi ispirato i suoi capolavori: *Delitto e castigo*, *L'idiota* e *I fratelli Karamazov*.

Rimanda a domani soltanto ciò che pensi di poter lasciare incompiuto se dovessi morire.

49. SEMPRE oltre

Per tutti noi esiste un ambiente sicuro, dove ci sentiamo tranquilli.

La comodità, tuttavia, non è stimolante. È soffocante.

Esci e lasciati sfidare e ispirare, cerca ogni giorno di essere audace e lo diventerai davvero.

Solo affrontando il rischio di spingerti troppo in là potrai scoprire fino a che punto puoi arrivare. Non imparerai mai a nuotare finché ti ostinerai a tenere un piede sul fondo.

Ampliare l'ambiente in cui ci si sente al sicuro genera fiducia in se stessi. Se sei abituato ad allargare gli orizzonti, quando ti accadrà qualcosa di traumatico l'impatto sarà minore, perché sarai avvezzo ad affrontare le sfide.

Il pittore americano Philip Guston divenne famoso come espressionista astratto. Più tardi, tuttavia, con un cambiamento repentino, cominciò a dipingere utilizzando un cupo stile fumettistico. Un balzo enorme in una direzione nuova.

Quando Guston espose per la prima volta le nuove opere figurative, le recensioni furono impietose. I critici non accettavano che un pittore che avevano considerato per vent'anni fra gli eroi dell'Espressionismo astratto cambiasse rotta in modo tanto improvviso.

Oggi Guston è più conosciuto per i suoi dipinti in stile cartoon che per i precedenti, e anche i critici hanno dovuto ricredersi.

L'ARTE È UN'AVVENTURA IN UN MONDO SCONOSCIUTO, CHE PUÒ ESPLORARE SOLO CHI È DISPOSTO AD ASSUMERSENE I RISCHI

Mark Rothko

50. IMPARA A IMPARARE

Per avere idee fresche e nuove non bisogna mai smettere di imparare.

Imparare non significa crearsi un bagaglio di conoscenze. La mente deve essere libera di volare ovunque desideri, come un uccello; non può apprendere seguendo uno scopo prefissato, deve poter esplorare in libertà. L'obiettivo è crescere e la mente, al contrario del corpo, può crescere per tutta la vita.

È molto più importante imparare che sapere. La conoscenza è diversa dall'apprendimento, è una scorta, un accumulo statico.

L'artista inglese David Hockney esplora e studia da sempre i mezzi artistici più innovativi. I suoi primi dipinti, raffiguranti le piscine di Los Angeles, erano in acrilico, materiale nuovissimo per l'epoca. Usando le fotocamere Polaroid (anch'esse una novità per quei tempi) ha creato dei collage fotografici con diverse stampe di uno stesso soggetto, in modo da formare un'immagine composita. Ha anche disegnato con Quantel Paintbox, un programma per computer che consentiva di abbozzare degli schizzi direttamente a video.

Dopo i settant'anni ha creato centinaia di ritratti, nature morte e paesaggi usando l'iPhone e l'iPad.

Hockney è rimasto curioso per tutta la vita, sempre pronto a conoscere ed esplorare nuovi materiali. Ha continuato a guardare avanti, saggiando terreni sconosciuti e traendone linfa vitale.

Per imparare bisogna sperimentare idee e mezzi sempre nuovi. Dobbiamo essere più sensibili e consapevoli di ciò che ci circonda, piuttosto che memorizzare informazioni come degli automi. Se impariamo a imparare sapremo già tutto quel che serve.

51. USA L'INVIDIA COME STIMOLO

Ti è mai capitato di guardare il lavoro di un altro e pensare: "Vorrei averlo fatto io"? Anziché lasciarsi sopraffare dall'invidia, chi ha una mente creativa aggiunge subito: "Ora ci provo!".

Usa questo desiderio come uno stimolo. Se altri l'hanno fatto, perché non dovresti riuscirci anche tu?

Quando il giovane Francis Bacon visitò un'importante retrospettiva su Picasso, a Parigi, ne fu folgorato. Anche lui pensò: "Vorrei aver fatto io tutto questo", così si cimentò nella pittura. Furono le opere di Picasso a ispirarlo e incentivarlo, e la sua reazione non fu: "Non sarò mai così bravo" o "È troppo rischioso", bensì "Perché non provarci?".

I primi dipinti di Bacon sembrano fatti da Picasso. Il pittore irlandese fece di tutto per calarsi nei panni del maestro spagnolo e per vedere attraverso i suoi occhi; cercò di capire cosa c'era nel pensiero di Picasso che lo attraeva in modo così istintivo. Quando ne riproduceva l'opera però c'era sempre una differenza rispetto all'originale, e la sua mano era ben riconoscibile. Più ci lavorava, più emergeva la sua vera voce. Quando

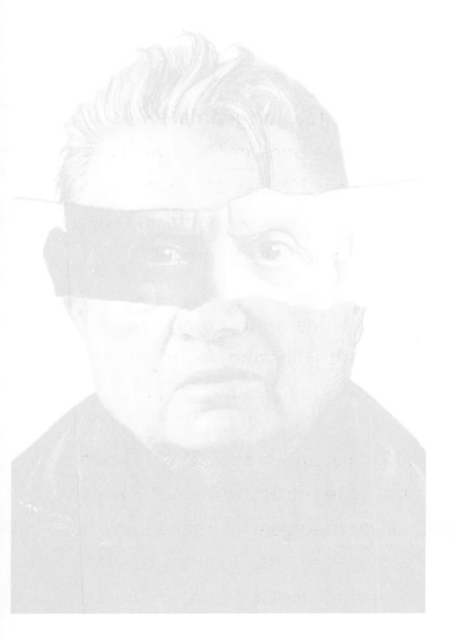

gli dedicarono una retrospettiva, Picasso la visitò e ne restò a sua volta impressionato: adesso era lui a vedere con gli occhi di Bacon.

Oggi, artisti come Damien Hirst si guardano intorno visitando una mostra di Bacon e pensano: "Vorrei averlo fatto io".

Se c'è una cosa che suscita in te lo stesso pensiero, falla.

Puoi guardare con invidia ai successi altrui, oppure puoi far sì che diventino uno stimolo per te.

Non mi piace pensare di avere una certa influenza. È imbarazzante

Bruce Nauman

52. COMPIACI TE STESSO, NON GLI ALTRI

La creatività prospera quando si rimane coerenti con i propri valori e le proprie idee.

La torre Tatlin doveva essere un'ingegnosa torre a spirale, che con i suoi 400 metri avrebbe dominato il cielo di San Pietroburgo. Un rivoluzionario monumento modernista che l'architetto Vladimir Tatlin progettò su commissione nel 1921.

Il visionario edificio avrebbe dovuto essere costituito da una "spina dorsale" interna in ferro inclinata di 60 gradi rispetto al suolo, intorno alla quale si sarebbe attorcigliato un gigantesco traliccio a doppia elica in metallo grigio sostenuto da puntoni verticali e diagonali che sarebbero andati a restringersi verso uno zenit indefinito. Un enorme cilindro di vetro avrebbe dovuto orbitare all'interno di questa gabbia nell'arco di una giornata, diffondendo messaggi alla città. Sotto, una piramide di vetro avrebbe com-

NELL'ARTE C'È QUASI SEMPRE UNA QUOTA DI SFRONTATEZZA, UNA SFIDA DELL'ORDINE PRECOSTITUITO, AL PUNTO CHE POTREBBE BENISSIMO SOSTITUIRNE L'AUTORITÀ E IL LUME

Ben Shahn

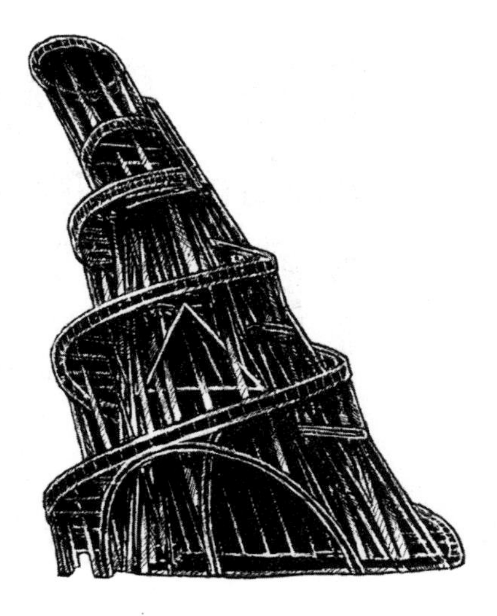

piuto un giro al mese e, più in basso, un cubo l'avrebbe fatto in un anno.

O almeno, questa era l'idea dell'architetto. Peccato che la torre non sia mai stata realizzata.

Tatlin sfidò le autorità della città a costruire una sorta di poema di ferro, ma non se la sentirono. La torre non esiste, ma ciò non ha impedito che divenisse uno degli edifici più rappresentativi di ogni epoca. I disegni e le foto del modello appaiono in centinaia di libri di storia dell'architettura. Tatlin si rifiutò di progettare un edificio tradizionale solo perché le autorità competenti lo approvassero.

Anche se si lavora per qualcuno, bisogna restare fedeli alla propria visione. Cercando di compiacere gli altri, potremmo finire per creare qualcosa che non piace né a noi, né a loro.

Alcune persone hanno su di noi un effetto positivo, ci motivano e accrescono il nostro entusiasmo. Altre invece possono farci del male, privandoci delle energie e facendoci sprofondare nella negatività. I creativi più realizzati trovano il modo di circondarsi di persone buone ed evitare quelle cattive.

Molti creativi si lasciano abbattere e annientare da amici e familiari disfattisti, che vorrebbero rinchiuderli in una stanza con la scritta "pericolo". Si lasciano convincere che la creatività sia rischiosa. Vorrebbero dipingere, scrivere, recitare o suonare, ma non riescono a prendersi sul serio, così hanno sempre più paura di inseguire i propri sogni e perdono le speranze.

Il critico d'arte Clement Greenberg sostenne l'opera di un allora sconosciuto Jackson Pollock e lo incoraggiò in tutti i modi possibili. Convinse i collezionisti ad acquistare i suoi dipinti e i musei a comprarli ed esporli, in più scrisse di lui su libri e riviste. Mostrando entusiasmo per il suo lavoro, Greenberg riuscì a dare a Pollock il giusto stimolo. Lo considerava il più grande

53. RICARICATI DI ENERGIA

DEVI MOLTO A CHIUNQUE TI ABBIA MAI DATO FIDUCIA

Truman Capote

pittore della sua generazione e pensava che le sue tele astratte fossero il futuro prossimo dell'arte moderna, che lui fosse il vero erede di Picasso e che la sua opera avrebbe permesso all'arte di progredire fino alle più alte vette possibili. Grazie a Greenberg, l'autostima di Pollock raggiunse livelli incredibili.

I rapporti umani possono essere benefici, ma talvolta anche dannosi. Ci sono persone che sanno essere soffocanti. Come chi sta per affogare, i "frustrati della creatività" fanno di tutto per trascinare con sé chiunque: la creatività è come l'ossigeno, loro ne hanno un desiderio incolmabile e soffrono nel vedere gli altri esprimersi.

Alcuni sanno motivarci e illuminarci, ma altri ci fanno sentire stanchi, svuotati o irritati. Queste persone sono come veleno, impara a identificarle e stanne alla larga.

54.

GUIDA LA MENTE O LA MENTE GUIDERÀ TE

CON L'AUTODISCIPLINA OGNI COSA È POSSIBILE

Theodore Roosevelt

Per essere creativi bisogna aver chiara la differenza tra disciplina e autodisciplina.

La disciplina è legata al sacrificio e richiede di conformarsi ai dettami imposti dalla società o dalla religione. Si serve di premi e punizioni per regolare il comportamento ed è un concetto restrittivo e limitante.

L'autodisciplina invece ha a che fare con l'interiorità e prende forma a partire dall'ispirazione, dall'orgoglio e dalla soddisfazione. Non ha niente a che vedere con premi o punizioni.

Il compositore Irving Berlin si diede l'obiettivo di scrivere una canzone al giorno, a ogni costo. I suoi brani hanno lasciato una traccia indelebile nel panorama musicale del ventesimo secolo. Il primo a raggiungere il successo mondiale fu *Alexander's Ragtime Band*, nel 1911, seguirono *White Christmas*, *Easter Parade*, *Puttin' on the Ritz*, *There's No Business Like Show Business* e altre 1500 canzoni circa.

Come riuscì a produrre tante opere di qualità? Era un genio? Secondo lui no. Spiegava con umiltà come faceva a scrivere brani così belli con quei testi memorabili: componeva una canzone al giorno, completa di testo, musica, strofa e ritornello. Tutti i giorni. Molti di quei brani erano scadenti, così li scartava, ma proprio perché ne scriveva tanti, ce n'erano abbastanza talmente buoni da garantirgli il successo. Tutta la sua opera era questione di orgoglio personale e di raggiungimento degli standard che aveva fissato.

La disciplina è fondamentale, a patto che si tratti in realtà di autodisciplina. Deve venire da dentro, non da fuori.

55. STABILISCI IL TUO STANDARD

Mira sempre a fare ciò di cui ti occupi nel modo migliore possibile.

Spesso ci sentiamo spinti a scendere a compromessi e ad agire in un modo o nell'altro a seconda delle circostanze.

Non lasciare che le pressioni esterne influenzino la qualità del tuo lavoro e non accontentarti di produrre roba di scarso valore.

Decidi qual è il meglio secondo il tuo criterio. Fissa un tuo standard personale e sii il giudice di te stesso.

L'artista americano Willem de Kooning si mise in testa di dipingere il miglior quadro che fosse capace di creare. Nacque così la leggendaria *Woman I*, opera-simbolo che occupa un posto di riguardo nella storia dell'arte.

De Kooning lavorò su quel progetto quasi ogni giorno per due anni. Dipingeva un'immagine, non era soddisfatto, buttava via tutto e ricominciava. Ogni giorno rifaceva l'intero disegno. Ne creò almeno duecento versioni, tutte puntualmente distrutte. Stava cercando la sua vera voce e non proseguì nel suo lavoro

finché non la trovò. Quando finalmente raggiunse un livello che riteneva adeguato, il dipinto sembrava appena fatto, come se l'avesse finito in un giorno solo.

De Kooning aveva stabilito il suo standard, e non avrebbe accettato nulla che non ne fosse degno.

Non lasciare che scadenze, problemi economici o le aspettative degli altri ti costringano a dei compromessi, la cosa più importante è che rispetti i tuoi standard. Per un creativo non c'è confine tra lavoro e gioco, la vita non si divide tra guadagnare e spendere. La ricompensa è raggiungere la qualità a cui si aspira.

56. LA PAURA È UN CARBURANTE

È naturale sentirsi ansiosi quando comincia una nuova avventura.

All'inizio, uno scrittore ha davanti una pagina bianca, un artista una tela vuota, un compositore il silenzio. Ad artisti, musicisti e scrittori di successo fissare l'ignoto non fa meno paura che a chiunque altro.

Ciò che li rende diversi è saper abbracciare le proprie paure e trasformare l'ansia in energia. Mettersi in azione fa sì che la paura diventi vitalità.

Parecchi artisti hanno dovuto misurarsi con l'ansia da palcoscenico: Rod Stewart, Mel Gibson, Elvis Presley, Barbra Streisand e Meryl Streep, tanto per citarne alcuni. Molti arrivano persino a vomitare, si sentono paralizzati o sudano freddo.

Laurence Olivier, spesso considerato il più grande attore del ventesimo secolo, soffriva di una forte paura da palcoscenico, tanto da mettere a rischio la sua carriera. Quando si esibiva al National Theatre di Londra, il direttore artistico doveva spingerlo sul palco con la forza.

I MIEI DEMONI SONO TANTISSIMI: SI PRESENTANO NEI MOMENTI MENO OPPORTUNI E MI PROVOCANO TERRORE E PANICO. MA HO IMPARATO CHE SE RIESCO A GESTIRE LE FORZE NEGATIVE E A TIRARLE A BORDO POSSO SFRUTTARLE A MIO VANTAGGIO...

Ingmar Bergman

Una volta sul palco, Olivier non mostrava più alcun sintomo. Anzi, provava addirittura un'euforia simile alla scarica di adrenalina di un atleta. Nella performance sfogava tutta la sua paura, sfruttandola per entrare meglio nella parte.

Per chi non è abituato a stare su un palco, è dura comprendere perché mai Olivier dovesse sottoporsi a un simile tormento. Recitare era ciò per cui sentiva di essere nato, e aveva paura perché ogni esibizione era per lui importantissima. Ma l'amore per la recitazione era più forte della paura.

Anche le persone creative a volte si sentono spaventate o provano panico, solo che sono in grado di trarne giovamento, trasformando queste sensazioni in energia positiva.

Se vogliamo che qualcosa accada, dobbiamo essere noi a renderlo possibile.

Troviamo sempre milioni di ragioni per rimandare. Discutiamo e facciamo progetti, ma poi procrastiniamo. Trasformare un'idea in realtà richiede fatica, solo l'azione può rendere reale ciò che è nella nostra testa.

Nel 1988 visitai una mostra intitolata *Freeze*, nei Docklands di Londra. Quella mostra fece salire per la prima volta alla ribalta del mondo dell'arte molti giovani talenti inglesi, tra cui Damien Hirst e Gary Hume.

Damien Hirst allestì *Freeze* quando era ancora uno studente, ma lui non si comportò come gli altri studenti. Seppe distinguersi dalla massa. Affittò un enorme magazzino e, siccome un evento del genere era molto costoso, si procurò diversi sponsor. Lo stile e la portata della mostra si rifacevano moltissimo alla Saatchi Gallery, da poco aperta, e sia l'esposizione sia il catalogo presentava-

DA MOLTO TEMPO AVEVO NOTATO QUANT'ERA RARO CHE LE PERSONE DI TALENTO SI SEDESSERO AD ASPETTARE CHE LE COSE ACCADESSERO DA SÉ. ERANO LORO AD ACCADERE ALLE COSE

Leonardo da Vinci

no livelli di professionalità insolitamente elevati. Si trattava di studenti, per cui il loro lavoro era abbastanza incostante, ma il valore e l'ambizione erano davvero notevoli.

Hirst e i suoi amici non intrapresero la via tradizionale, ovvero esibire le proprie opere alla festa di laurea dell'università: loro allestirono una mostra vera.

Quando visitai *Freeze* non c'era quasi nessuno. I visitatori furono davvero pochissimi, ma non aveva importanza: Hirst e gli altri avevano fatto abbastanza per farsi notare, quanto bastava per generare un dibattito. Si cominciò a parlare e scrivere di loro. Charles Saatchi acquistò alcune opere. Insomma, avevano gettato le fondamenta per iniziare a costruire.

Se vuoi lasciare il segno, devi fare qualcosa per farti notare.

Mentre gli altri pensano ai motivi per cui un progetto non è possibile, i creativi riflettono sulle ragioni per cui invece lo è.

Una persona creativa non è passiva, ma proattiva. Non aspetta che le cose capitino: le fa succedere.

L'AUTORE

Rod Judkins è un artista figurativo e ha frequentato il Royal College of Art di Londra, dove hanno studiato, tra gli altri, Henry Moore, Ron Arad, Jasper Morrison, Ridley Scott e Lucian Freud; tiene dei corsi al Central Saint Martins College of Arts and Design, che tra gli ex studenti annovera invece John Galliano e Stella McCartney.

Ha esposto alla Tate Britain, alla National Portrait Gallery e alla Royal Academy. Ha conosciuto e frequentato artisti, scrittori, compositori e creativi vari, tra cui Francis Bacon, David Hockney, Andy Warhol, William Boyd, Peter Gabriel, Duran Duran, Brian Eno, David Bowie e Ian McEwan. Questo è il suo primo libro.

RINGRAZIAMENTI

Grazie a Kate Pollard per aver creduto in questo libro, a Kajal Mistry per il suo aiuto e a Tom Skipp e Jim Green per la direzione artistica.

Un ringraziamento anche a Scarlet Judkins per aver posato nella fotografia del capitolo 42.

ROD JUDKINS

Titolo originale dell'opera: *Change Your Mind*
Traduzione dall'inglese: Claudio Silipigni

First published by Hardie Grant Books, 2013

Prima edizione: marzo 2014
www.deagostini.it
Redazione: corso della Vittoria, 91 28100 Novara

www.rodjudkins.com

Finito di stampare nel mese di febbraio 2014 presso PuntoWeb - Ariccia (Roma)